박 명 복 디자이너

한국 최초의 기능성 보정 속옷 디자이너로서 이탈리아에서 ESSE MODA 패션 스쿨 수료, 일본에서 기능성 맞춤 보정 속옷 유학을 마친 후 귀국, 한국 여성의 체형에 대한 끊임없는 연구로 국내 속옷 패션계의 새 시대를 열어 오고 있다. 바른 자세를 위한 과학적인 접목을 비롯해 노화 속도를 결정하는 테크놀로지와의 결합까지 혁신을 멈추지 않고 있으며 속옷의 역사와 가치를 알리는 일에도 소명 의식을 다하고 있다. 현재 브랜드 'ettim'의 대표 디자이너로서 국내 최초의 속옷 박물관 'Hesed Museum'을 비롯해 세계에서 명망 높은 장식미술 박물관, 영국 빅토리아 앤 앨버트 박물관(Victoria&Albert Museum)이 소장한 속옷 컬렉션 'UNDERWEAR FASHION IN DETAIL'을 번역하기도 했으며 다수의 저서를 출간했다.

주요 저서
「성공을 부르는 몸매이야기」
「남대문에서 밀라노까지」
「SUCCESS MAKER」
「몸 경영」

주요 수상 경력
아리랑 TV '한국을 대표하는 10인'
이탈리아 Como 시장 디자인 상 수상
피렌체 토스카나 주지사 디자인상 수상
이탈리아 문화부 장관 공로패 수상

헤세드 뮤지엄 Hesed Museum

잠의 비밀을 찾아서

장경수 부산가톨릭대학교 보건과학대학 임상병리학과 교수

생명 현상의 근원적 원인을 밝히는 의과학 분야를 연구해온 미생물학자이며 수의학 박사. 현재 부산가톨릭대학교 보건과학대학 임상병리학과 교수로 바이러스의 분자생물학적 병원성 기전 연구 및 백신 개발, 병원성 세균의 진단법 개발 및 치료제 개발, 그리고 기능성 신물질 개발 연구에 매진해 왔으며 후학 양성에도 힘쓰고 있다. 학계에서 그 역량을 인정받아 대한의생명과학회 제 15대 회장으로 선출, 고령화 사회에 질병과 노화 문제를 비롯한 의생명과학 분야에 학문적 발전과 교류를 이끌고 있으며 (사)한국생물안전협회 회장으로서 질병관리청과 협력하여 대한민국의 생물 안전 정착과 특히 감염병 예방에 큰 기여를 해오고 있다.

주요 저서
「임상바이러스학」
「최신임상미생물학」
「임상진균학」

주요 수상 경력
보건복지부 '보건복지부장관표창'
부산광역시 '부산광역시장 표창'
부산정보산업진흥원 '부산정보산업진흥원장 표창'
충남대학교 '총장상'
부산가톨릭대학교 '총장상'

부산가톨릭대학교
YOUTUBE 채널

혈관미인
자세미인

존경하는 박명복 디자이너 선생님께

스위스 피레네산맥을 넘을 때였습니다.
국가 생물안전회의 한국 대표로 제네바를 향할 때,
박명복 디자이너 선생님의 열정적인 목소리를 처음 들었지요.
저속 노화 열풍 속에서 속옷으로 건강을 지키는
노하우를 찾아달라는 간곡한 부탁이었습니다.
그렇게 찾은 곳이 김포에 있는 헤세드 박물관,
그곳에 실로 어마어마한 세계가 기다리고 있었습니다.
유럽의 속옷 역사가 생생하게 머물러 있었고
박명복 속옷 디자이너의 일생이 고스란히 숨 쉬고 있었습니다.
과학자인 제가 더 놀란 것은 ettim 기능성 보정 속옷에
깃들어 있는 효과들이었습니다. 그때부터 공동연구한 결과물이
NEO eono 임상에 성공하는 쾌거를 이루게 되었습니다.
아울러 '혈관미인 자세미인' 책을 통해 노화 시계를
늦출 수 있는 습관을 책으로 남기게 돼 학자로 더욱 보람 있습니다.
박명복 디자이너 선생님!
이 책을 내기까지 부산을 KTX로 왕복한 거리만 해도 기네스북에 오
르고도 남으실 겁니다. 그 노고에 고개 숙이며 언제나 '밥 길 사주는
예쁜 누님'으로 계셔 주시길 부탁드립니다. 아울러 어려운 혈관 내용
을 쉽게 정리해준 손혜진 작가, 그리고 언제나 저의 ettim 페어링, 김
앤장. 모든 날들이 NO(산화질소) 뿜뿜이었습니다!

부산가톨릭대학교 장경수

친애하는 장경수 교수님께

점 잇기(Connecting the Dots) 놀이를 아시나요?
어린 시절 점들을 하나하나 순서대로 이어 나가다 보면
특정한 도형이나 그림이 나타나곤 했지요?
그 점들을 잇기 전까지는 어떤 모양이 나타날지 아무도 모릅니다.
교수님! 마치 우리 인생이 점 잇기 놀이와 같다는 생각이 들어요.
매일 매 순간 경험하는 점들을 이어나가며 운명을 바꾸는 그림이 완성되는 날을 기다리는 소녀처럼, 속옷을 디자인할 때도 도트(dot) 무늬를 시그니처 패턴으로 넣으며 꿈을 그리곤 했습니다.
그런데 이런 현실의 점들이 연결되어 정말 꿈이 이루어졌어요.
2년 전 겨울, 대한의생명과학회 회장이신 교수님이 김포 헤세드 박물관을 방문, ettim 속옷의 역사를 둘러보시곤 '나이가 들어도 자세가 바른 이유'를 연구해 주신 것이 새로운 도트(dot)의 시작이었지요. 아울러 그 증명이 제게는 '자세미인' 책을 쓰게 만드는 원동력이 되어 주었습니다. 그 후 NO(산화질소) 생성에 도움을 주는 NEO eono를 함께 개발, 일사천리로 임상까지 성공하지 않았습니까?
주위의 무모한 도전이라는 만류에도 교수님 덕분에 빛나는 무한도전이 가능했고, 수면 개선 효과까지 입증할 수 있었습니다. 또한 〈혈관미인〉으로 건강을 챙겨 주시니 감사함이 폭포수처럼 넘쳐 흐릅니다.
과학자와 속옷 디자이너, 점(dot)과 점(dot)이 만나 남들보다 더 젊게, 안 아프게, 오래 사는 길을 지금처럼 함께 이어나가길 소망합니다.

디자이너 박명복

혈관 미인

Prologue
혈관미인의 시계는 거꾸로 간다 ⋯8
120세 시대, 두 번의 환갑 맞기
혈관, 내 건강 나이를 거꾸로 돌릴 수 있다

Chapter 1
혈관과 혈액에 있는 저속 노화의 스위치 ⋯19
우리가 알아야 할 우리 몸의 혈관
당신의 혈관 나이는 몇 살입니까?

Chapter 2
수명을 좌우하는 혈관질환 ⋯48
높은 혈압과 콜레스테롤, 당신의 생명을 훔친다
혈관질환은 침묵하며 진행된다
3고(高)로 시작해 돌연사로 끝난다
초고령 한국 사회, '치매 쓰나미'가 닥친다
내 혈관이 보내는 SOS!

Chapter 3
튼튼한 혈관, 예방과 관리만이 답 ⋯79
사람은 일정한 속도로 늙지 않는다
사람은 34세, 60세, 78세, 세 번 늙는다
혈관 노화와 NO(산화질소)의 연결고리
체온 조절의 비법, 혈관 관리에 있다

Chapter 4
노화방지의 열쇠, NO(산화질소) ···96

노벨상을 수상한 물질
NO(산화질소)의 경이로운 세계
NO(산화질소), 우리 몸의 만능해결사
NO(산화질소), 남녀의 성기능에 희소식을 전하다

Chapter 5
혈관을 웃게 하려면 이렇게 관리하세요 ···110

이렇게 먹으면 내 혈관 기름때 싹-
나쁜 음식을 피하는 게 더 중요

림프미인

Prologue
우리 몸 속에는 물이 흐른다 ···117

Chapter 1
제2의 순환계, 림프계 ···120

림프계, 우리 몸의 하수 처리를 담당하다
항상성과 면역력
림프계의 질환과 증상
두드려라 그러면 풀릴 것이다
혈관&림프를 위한 10계명

자세미인

Prologue
자세미인은 늙지 않는다 ···146

ettim이라는 운명의 여정,
대한민국 최초의 기능성 보정 속옷 디자이너
인생 2막, eono와의 만남
곱게 늙으셨네요?

Chapter 1
자세만 바꿔도 세상이 달라진다 ···161

아무도 가르쳐 주지 않았던 체형별 속옷 레시피
자세가 펴지면 주름도, 마음도 펴져요

Chapter 2
자세만 바꿔 걸어도 세상 어디든 런웨이 ···188

걸음걸이는 당신의 모든 것을 알고 있다
몸을 움직이는 즐거움
내 걸음걸이 체크! 체그!
건강한 11자, 바르게 걷기의 기본!
흥얼흥얼 콧노래에 NO(산화질소)가 뿜뿜 ♪♬
'아이고'가 "렛츠고"가 되는 법
근육 부자가 진짜 부자
신데렐라와 콩쥐 왜 '신발' 한 짝을 남겼을까?

Chapter 3
자세만 바꿔도 라인이 달라진다 ⋯219

건강한 아름다움의 중심, 골반
앉으나 서나 바른 자세 ♬♪
샤론 스톤인 줄 아세요? 다리 꼬기 그만!
뱃살과 허벅지 살 '쏙'~

Chapter 4
자세만 바꿔도 꿀잠을 부른다 ⋯243

예나 지금이나, 미인은 잠꾸러기
NO(산화질소), 밤에는 그 역할을 조금 쉰다는 사실!

Chapter 5
자세만 바꿔도 통증이 사라진다 ⋯252

아프고서야 알게 되는 소중함, 손
손주! 기쁨도 주고, 병도 주고?
우리 집 엔돌핀, '이태리'와 으쌰! 으쌰!!

박명복 디자이너 추천

NO(산화질소) 덤프운동 ⋯268
(Nitric Oxide Dump)

Part 1
혈관미인

혈관미인의 시계는 거꾸로 간다.

120세 시대,
두 번의 환갑 맞기

행복의 조건이 뭘까요?

사람, 세대마다 다르겠지만 '돈'이라고들 많이 꼽습니다. 물론 맞을 수도 있습니다. 현대를 살아가는 데에 돈이 참 중요하니까요. 그렇지만 돈만 있으면 행복할까요? 아닐 거예요.
우리가 돈 없이 가난했을 때는 행복하지 않았나요? 예전을 기억해 보면 맨날 먹던 라면에 달걀 하나만 더 넣는 걸로도 행복했던 때가 있었습니다.

그런데 지금은 마음만 먹으면 매일 고기를 먹을 수 있지만 그래서, 그때보다 훨씬 더 행복해졌다고 할 수 있을까요? 아니잖아요.

그러면 또 다른 질문을 하겠습니다.
지금 내 손에 100억이 쥐어지는데 내일 죽는다면요?
아마도 "아유~ 내일 죽는데 돈이 다 무슨 소용이야~" 그러시겠죠? 그러니까요,
돈이 무슨 소용 있습니까?
제가 하고 싶은 말이 바로 그겁니다.

돈 이전에 건강하게 살아 있는 게 중요합니다.
그래야 행복해질 기회도 얻는 거니까요.
그래서 저는 지금부터 100억과도 바꿀 수 없는, 건강하게 오래 살아가는 법에 관해 이야기를 해볼까 합니다. 우리나라 사람의 기대수명은 2023년 기준으로 83.5세입니다.

세계 평균 기대수명인 80.3세보다 꽤 높은 수치죠.
성별에 따라 차이가 있는데 남성은 80.6세, 여성은 86.4세입니다. 우리나라의 선진적인 의료 시스템이나 의학 기술이 큰 역할을 했습니다.
국민의 건강에 관한 관심도 큰 몫을 했을 거고요.

환갑(還甲)이라는 말은 태어난 해의 육십갑자가 다시 돌아왔음을 뜻합니다.
옛날에는 육십갑자를 한 바퀴 돌 때까지 살았다 하여 환갑잔치를 크게 했었잖아요? 기대수명이 짧았으니까 별 탈 없이 60살까지 생존한 것만으로도 잔치를 열만큼 기념하고 축하받을 일이었던 거죠.
그런데 요즘은 어때요? 70, 80세에 돌아가셔도 일찍 가셨다고 다들 안타까워하는 분위기입니다.
그야말로 100세 시대에 돌입한 겁니다.
그뿐이 아닙니다.

현재의 의학적 견해로는 2040년이면 기대수명이 120세까지 연장될 거라고 예측하는데요.
이는 두 번의 환갑을 맞이하는 것도 가능하다는 말입니다.

여기서 잠깐! 짚고 가야 할 것이 있습니다.
120세 시대를 꿈꾸면서 단지 우리는 오~~래 살기만을 바라는 걸까요? 절대 그건 아닐 겁니다! 우리가 진정으로 바라는 것은 늙지 않고 건강한 채 삶을 오래 누리는 것일테니까요.
건강수명이라는 말이 있습니다. 질병이나 장애가 있는 기간을 제외하고 아프지 않고 건강하게 살아가는 기간을 말하는 건데요. 우리나라 건강수명은 72.5세입니다. 기대수명 83.5세와 11년 정도의 시간 차가 있는 셈이죠. 건강하지 못하거나 유병 기간이라고 할 수 있는 이 11년은 행복하기 힘든 시간이 될 확률이 높습니다.

기대수명(0세 기대여명) 및 유병기간 제외 기대수명(건강수명)

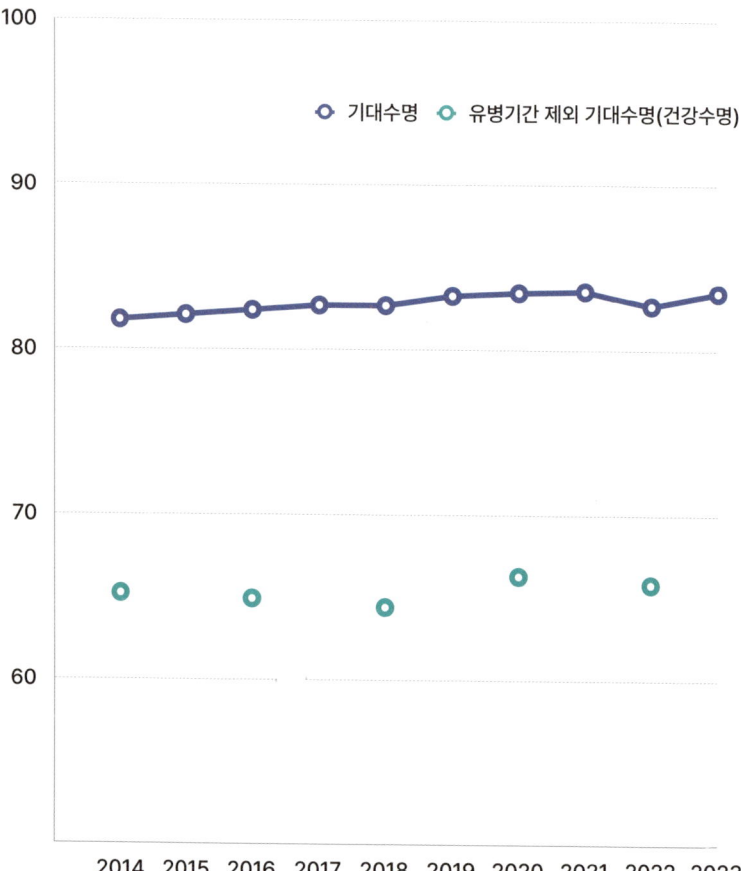

<출처 : 통계청>

유행하는 말 중에
'9988123'이라는 말, 아시나요?

이 숫자들의 의미는
'99세까지 88하게 살다가
1, 2, 3일만 앓다가 가자' 입니다.

기대수명을 건강하게 영위하겠다는
간절한 바람과 강력한 의지가 담긴 말이죠?
이 유행어 그대로 120세 시대를 앞두고 기대수명과
건강수명의 차이를 얼마나 줄이냐 하는 것이 우리들
이 풀어가야 할 숙제입니다.

혈관,
내 건강 나이를 거꾸로 돌릴 수 있다

나이가 들면 누구에게나 어김없이 찾아와서
행복한 시간을 위협하는 게 있죠?

네, 바로 노인질환입니다.
성인병이라고도 부르고 좀 더 직관적으로 생활습관병이라고도 하는데요. 젊었을 때의 생활 습관들이 차곡차곡 쌓여서 그것을 요인으로 나이가 들면서 질병을 일으킨다는 뜻입니다.

평소의 식습관, 운동 부족, 과식, 과음, 흡연 등이 부메랑처럼 고스란히 우리에게 돌아온다는 거죠.

그중에서 가장 흔한 3대 노인질환이 고혈압, 당뇨, 고지혈증입니다. 이는 모두 혈관질환이고요.

그렇다면 사람들이 요즘 들어 암보다 두려워하는 치매는 어떨까요?

치매가 기억이나 뇌 기능과 관련되었다고 하여 뇌 관련 질병이라고 오해하시는 분들이 꽤 많은데요. 치매는 뇌에서 발생하는 혈관질환이 원인인 뇌혈관질환입니다. 뇌경색, 뇌출혈 등도 마찬가지입니다.

이만하면 눈치채셨지요?

오래오래 건강하고 행복하게 살기 위한 필수 조건!은 미리미리 혈관질환을 예방하고 관리하는 것! 이라는 거죠. 이렇게 강조해서 말씀드리는 이유는 이렇게 강조해서 말씀드리는 이유는 겁을 주려는 것이 아니라, 경각심을 가지라는 뜻입니다.

그리고, 한 말씀 더!

혈관은 관리하는 만큼 얼마든지 젊어질 수 있습니다.

이 얼마나 희망적인 사실입니까?

"인간은 혈관과 함께 늙는다."

라는 유명한 말이 있습니다.

이 말을 거꾸로 풀어 보면,

"인간은 혈관만 쌩쌩해도 젊게 살 수 있다."

일 겁니다.

자, 어떠세요?

모두 혈관 미인이 될 준비, 되셨습니까?

제1장
혈관과 혈액에 있는 저속 노화의 스위치

우리나라 사람만큼

빠른 거 좋아하는 사람들이 있을까요?

제가 알기론 없습니다.

그런 우리나라 사람들이 느릴수록 좋다고 말하는 것이 있는데요. 그게 뭘까요? 네, 바로 노화입니다.

고속, 초고속이 너무도 익숙한 일상을 보내는 우리지만 노화만큼은 느리게, 더 느리게, 저속이길 강렬히 희망하고 있는 거죠. 그런데 아시다시피 늙어가는 속도를 줄이기가 어디 쉽나요? 그런데, 이 '저속 노화'를 조절하는 스위치가 있습니다. 바로 우리 몸의 혈관과 혈액에 말이죠! 즉, 혈관과 혈액을 어떻게 관리하느냐가 노화의 속도를 조절하는 중요한 단서라는 것입니다. 그렇다면, 우리 몸의 혈관과 혈액에 대해 제대로 이해할 필요가 있지 않을까요? 이제 그 탐구를 시작해 봅시다. 여러분의 건강한 노화를 위해 혈관과 혈액 관리의 중요성을 함께 알아보겠습니다!

우리가 알아야 할 우리 몸의 혈관

우리 몸에는 혈관이 없는 곳이 없습니다.

머리에서 발끝까지, 피부 아래로 혈관이 뻗어있고, 그 혈관을 통해 혈액이 온몸을 돌고 있습니다. 생각해 보세요. 몸의 어느 부위든 종이에 살짝 베기만 해도 피가 나는 걸 보면, 쉽게 알 수 있지 않나요?
그럼, 여기서 질문 하나 할게요.
아, 제가 질문이 좀 많죠? 앞으로도 더 많은 질문이 기다리고 있습니다. 기대하세요!

자, 우리 몸의 혈관 길이는 과연 얼마나 될까요?

놀랍게도, 온몸 혈관의 길이를 모두 합치면 무려 12만 km에 달합니다! 이게 어느 정도인지 감이 오시나요? 쉽게 설명하자면, 지구를 두 바퀴 돌고도 반 바퀴를 더 돌 수 있는 길이입니다. 상상해 보세요!

이처럼 방대한 혈관 네트워크가 긴밀하고 촘촘하게 작용하고 있어 우리가 건강하게 생명을 유지하고 있습니다. 혈관 속을 도는 혈액의 양은 남성의 경우, 체중의 8%, 여성은 7% 정도에 해당합니다. 대략적으로 5~6리터 정도의 혈액이 우리 몸속에 있다는 뜻입니다. 이중 약 10%의 혈액은 간이나 비장 등에 저장돼 있다가 출혈이 발생하면 즉각 혈관으로 모여드는데요. 이 때문에 헌혈로 300~400ml 정도의 혈액이 빠져나가더라도 1~2시간이 지나면 정상적인 혈액량을 유지할 수 있습니다. 가끔 빈혈이 두려워 헌혈을 망설인다는 분들이 있는데요.

이는 우리의 몸에 대해 몰라도 너무 모르고 하는 소리인 거죠. 우리의 몸은 우리가 생각하는 것보다 훨씬 정교하고 효율적으로 설계되어 있습니다.

하지만 지속적인 출혈이나 혈관 손상으로 인해 혈액을 잃어버리면 상황은 달라집니다. 혈액 손실량에 따라 다양한 증상이 나타나며, 우리 몸은 위험 신호를 보내기 시작합니다. 신체의 약 15%의 혈액이 손실되는 1단계에서는 혈압과 심박수에 큰 변화가 없습니다. 하지만 15~30%가 손실되는 2단계에서는 맥박과 호흡이 조금 빨라지고, 혈압이 서서히 떨어지기 시작합니다. 3단계에 이르면 약 30~40%의 혈액이 손실된 상태로, 심박수와 호흡이 급격히 빨라지며, 몸은 큰 스트레스를 받습니다.

가장 위중한 4단계는 혈액의 40%, 즉 2리터 이상이 손실된 상황인데요. 이때는 생존 확률이 불과 3.3%에 불과합니다. 이 상황에서는 혈압이 현저히 낮아지고, 심박수는 빨라지며, 의식 장애가 발생할 수 있습니다.

혈액은 온몸 구석구석을 돌면서 세포와 조직에 산소와 영양분을 공급하고, 동시에 노폐물과 가스를 거둬들여 옵니다.

또, 질문하겠습니다.
혈액이 심장을 출발해 한 바퀴를 돌고 다시
심장으로 오는 데 걸리는 시간은 얼마나 걸릴까요?

정답은 약 1분입니다!

이 짧은 시간 동안 혈액은 지구 두 바퀴를 넘는 혈관의 길이를 따라 이동하는데, 이는 정말 놀라운 속도라고 할 수 있습니다. 대략 환산해 보면, 일반 비행기보다 100배 이상 빠르고, 서울에서 부산까지 단 20초 이내에 도달할 수 있는 속도입니다.
정말 경이롭지 않나요?

이런 속도 덕분에, 우리가 가만히 앉아 있더라도 몸속에서는 엄청나게 역동적인 일이 일어나고 있습니다.
가만히 귀를 막고 바깥소리를 차단해 보면, 귓속에서 쉭-쉭- 바람이 지나가는 것 같은 소리를 들을 수 있는데요. 이 소리는 바로 혈액이 혈관을 지날 때 나는 소리입니다.

흔히 혈관을 우리 몸의 생명 줄기라고 부르는데, 이는 생명을 유지하고 지원하는 근본적인 역할을 한다는 의미입니다.
즉, 우리 몸이 건강하게 기능하고 존재하기 위해서는 혈액과 혈관이 필수적인 기반이 된다는 것입니다.
결국, 우리가 생명을 영위하고 조직과 세포가 건강하기 위해 혈액 순환이 얼마나 중요한지를 잘 아시겠죠? 책을 읽으며 혈액과 혈관의 소중함을 다시 한번 되새겨 보는 시간이 되었으면 합니다.

1. 동맥, 정맥, 모세혈관은 하는 일이 다르다

우리 몸의 혈관에는 동맥과 정맥이 있습니다.
그 사이를 각종 장기와 조직을 그물망처럼 감싸고 있는 모세혈관이 연결되어 있고요.
우리 몸의 혈관 시스템은 크게 동맥과 정맥으로 나눌 수 있습니다. 이 두 가지 혈관 사이에는 모세혈관이 연결되어 있는데요. 모세혈관은 매우 미세한 혈관으로, 각종 장기와 조직을 그물망처럼 감싸고 있습니다.
혈관의 굵기는 신체의 부위에 따라 다소 차이를 보입니다. 가장 굵은 혈관은 심장과 연결되어 전신에 혈액을 공급하는 대동맥으로, 그 직경은 약 3cm 정도인데요. 대략 우리 엄지손가락의 굵기와 비슷하다고 볼 수 있습니다. 대동맥은 혈액을 강력하게 공급하기 위해 두꺼운 벽을 가지고 있으며, 몸의 각 부위로 혈액이 원활하게 흐를 수 있도록 돕습니다.

이후 대동맥은 팔다리로 연결되면서 점차 굵기가 가 늘어집니다.

예를 들어, 허벅지 쪽의 혈관은 약 6~8mm의 굵기를 가지고 있으며, 무릎 아래쪽으로 내려가면 혈관의 직경은 약 3mm 정도로 줄어듭니다. 이러한 변화는 혈액이 장기와 조직에 효율적으로 전달되도록 하기 위해서입니다.

모세혈관은 혈관 중에서 가장 가늘며, 직경이 약 0.01mm로, 이는 머리카락 굵기의 10분의 1 정도에 해당합니다. 이 미세한 혈관은 세포와 세포 사이에 위치하여 산소와 영양소를 직접 세포에 전달하고, 노폐물과 이산화탄소를 제거하는 중요한 역할을 수행합니다. 따라서 혈관의 굵기와 구조는 신체의 각 부분에서 혈액 순환의 효율성을 높이는 데 중요한 요소로 작용합니다.

(1) 동맥

먼저 동맥의 구조에 대해 알아보겠습니다. 동맥은 심장에서 시작하여 온몸으로 혈액과 산소를 운반하는 중요한 역할을 하는데요. 이 과정에서 심장에서 강하게 뿜어져 나오는 압력을 견디려면 동맥의 벽은 두꺼워야 겠죠? 그렇다 보니 동맥은 여러 층으로 구성되어 있습니다. 동맥은 '내막', '중막', '외막'의 세 개의 막으로 이루어져 있는데요. 내막은 동맥의 가장 안쪽에 위치해 매끄러운 표면을 가지고 있어 혈액이 유연하게 흐를 수 있도록 합니다. 혈액의 마찰을 최소화하여 원활한 혈류를 유지하게 하는 거죠. 중막은 내막 바깥쪽의 두꺼운 평활근으로 구성된 근육층입니다. 이 중막은 탄력이 매우 뛰어나며, 심장의 펌프질에 따라 수축하고 이완하여 혈액을 효과적으로 밀어내는 역할을 합니다. 이러한 기능 덕분에 동맥은 혈액을 신속하게 온몸으로 전달할 수 있는 거죠. 외막은 동맥의 가장 바깥쪽에 위치한 층으로, 튼튼한 결합조직으로 이루어져 있는데요. 이 외막은 동맥을 지지하고 보호하는 기능을 하며, 외부의 충격이나 압력으로부터 혈관을 안전하게 지켜줍니다. 동맥은 심장에서 시작하여 대동맥, 중동맥, 소동맥, 세동맥을 거쳐 모세혈관으로 이어지게 됩니다. 대동맥의 직경은 약 25~10mm로 가장 굵고 혈액을 강력하게 공급합니다. 그 다음은 소동맥으로 10~0.1mm의 직경으로 점차 가늘어집니다. 마지막으로 세동맥은 직경이 0.1~0.005mm로 더욱 좁아지는데요.

이들 세동맥은 모세혈관과 연결되어 혈액이 각 세포에 산소와 영양소를 전달하는 중요한 역할을 수행합니다. 이러한 구조적 특성 덕분에 동맥은 혈액 순환의 핵심적인 역할을 수행하는 겁니다.

(2) 정맥

정맥은 심장으로 들어가는 혈액이 흐르는 혈관을 의미합니다. 정맥의 구조는 동맥과 마찬가지로 세 겹의 막으로 이루어져 있는데요. 동맥에 비해 중막의 평활근 발달이 덜 되어 있어 벽의 두께가 얇은 것이 특징입니다. 이는 정맥이 장기나 조직의 모세혈관에서 혈액을 모아 흘려보내는 역할을 하므로, 혈액을 빠르게 공급할 필요가 없기 때문이죠. 대신 정맥은 느린 혈류 속도로 인해 혈액이 역류하는 것을 방지하기 위해 판막을 갖추고 있습니다. 이 판막은 혈액이 한 방향으로만 흐르도록 하는 역할입니다.

예전에 학생들을 대상으로 한 강의 중 한 학생이 손을 번쩍 들고 질문을 하더군요, "선생님! 동맥경화는 있는데 왜 정맥경화는 없어요?"라고 말이죠. 왜 그럴까요? 답은 정맥의 혈류가 천천히 흐르기 때문입니다. 정맥의 혈액은 흐름이 느리기 때문에 혈관이 다치는 일이 드물고, 그로 인해 염증이나 석회화 같은 문제가 발생할 가능성이 적습니다.

우리가 병원에서 채혈할 때, 일반적으로 정맥을 찾게 됩니다. 피부를 통해 보이는 혈관은 대부분 정맥입니다. 동맥은 외부 자극에 의해 손상될 경우 대량 출혈이 발생할 수 있기 때문에 상대적으로 몸의 깊은 곳에 위치해 있습니다. 이는 동맥을 보호하기 위한 자연스러운 구조인 거죠.

모세혈관을 빠져나온 혈액은 세정맥, 소정맥, 대정맥을 거쳐 다시 심장으로 돌아가게 됩니다. 정맥의 직경은 세정맥이 약 0.009~0.1mm, 소정맥이 0.1~10mm, 그리고 대정맥이 10~25mm로 점차 넓어지는데요. 이러한 구조적 특성으로 정맥은 혈액을 효과적으로 심장까지 운반하는 역할을 수행하고 혈액 순환 시스템의 중요한 부분을 형성합니다.

(3) 모세혈관

모세혈관은 동맥에서 뻗어 나온 가장 가느다란 혈관인데요. 세포와 직접 연결되어 산소와 영양분을 공급하고, 노폐물과 이산화탄소를 수거하는 중요한 역할을 수행합니다. 모세혈관의 직경은 세동맥에서 유입되는 부분이 약 0.005mm, 세정맥에서 유출되는 부분이 약 0.009mm로, 매우 미세합니다.

모세혈관은 우리 몸에 빈틈없이 퍼져 있으며, 단일층의 내피세포로만 구성되어 있습니다. 단일층의 세밀한 구조인 모세혈관은 물질 교환에 용이한데요. 모세혈관벽에 뚫려 있는 작은 구멍으로 혈관과 세포 간의 산소, 영양소, 이산화탄소, 노폐물 교환이 자유롭게 이뤄집니다. 이 과정은 세포가 필요한 물질을 공급받고 불필요한 물질을 제거하는 데 중요한 역할인데요. 모세혈관이 손상되면 세포의 기능이 저하되는 것도 이 때문입니다. 이는 생명 활동에 심각한 영향을 미친다는 뜻이기도 합니다. 우리 몸속에는 약 70억 가닥이라는 방대한 수의 모세혈관이 존재하는데요.
이 중 약 70%가 팔다리에 분포하고 있습니다.

혈관 총길이
12만 km (지구 두 바퀴 반)

혈액 총량
5~6리터

혈액 순환 시간
1분
(산소와 영양소 공급,
노폐물 이산화탄소 수거)

혈류 속도
대동맥 : 약 500mm/s
모세혈관 : 약 0.5mm/s
대정맥 : 약 150~250mm/s

2. 혈액은 무엇으로 이루어져 있나

혈관을 알아봤으니,
혈관을 지나는 혈액에 대해서도 알아봐야겠죠?
골수에서 생성되는 혈액은 크게 혈장과 혈구로 이루어져 있습니다.
혈구에는 적혈구, 백혈구, 혈소판이 있는데요.
그 역할과 특징은 다음과 같습니다.

혈액 구성 요소&비율

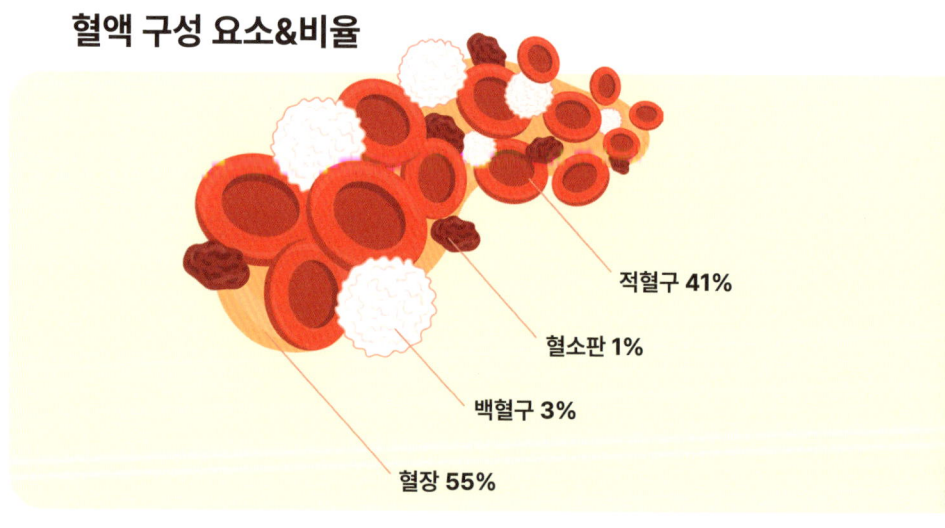

적혈구 41%
혈소판 1%
백혈구 3%
혈장 55%

(1) 혈장

혈장은 물, 단백질, 전해질 등 다양한 성분으로 이루어진 액체입니다. 혈액의 약 55%를 차지하며, 우리 몸의 여러 기능에 필수적인 역할을 수행합니다. 혈장의 가장 중요한 기능 중 하나는 신체의 조직과 세포에 산소와 영양분을 공급하고, 동시에 세포에서 생성된 이산화탄소와 대사산물을 배출하는 것입니다.

또한 혈장은 혈액 응고와 면역 반응에 관여하는 여러 단백질을 운반합니다. 예를 들어, 응고 인자들은 상처가 났을 때 혈액이 응고되도록 도와주어 출혈을 방지하는 역할을 하고요, 혈장 내에는 면역글로불린과 같은 항체도 포함되어 있어, 체내에 침입한 병원균에 대한 방어를 지원합니다.

더불어, 혈장 내의 전해질 농도가 적절히 유지됨으로써 체내 환경이 안정적으로 유지될 수 있도록 합니다. 우리가 흔히 헌혈을 통해 혈액을 기부하죠? 헌혈에는 전혈 헌혈과 혈장 헌혈, 두 가지 방식이 있습니다. 전혈 헌혈은 가장 일반적인 혈액 채취 방법으로, 전체 혈액을 한 번에 채취하여 필요한 성분을 모두 포함합니다. 전혈은 수술, 대량 출혈, 혈액 질환 환자에게 공급됩니다.

이는 환자가 필요로 하는 모든 혈액 성분을 한 번에 제공할 수 있는 장점이 있습니다.

반면, 혈장 헌혈은 혈액을 원심분리하여 혈구와 분리한 노란색 액체인 혈장만을 채취하는 방법입니다.

이 과정에서는 혈구와 혈소판이 체내로 다시 돌아가고, 혈장만을 채취하여 보관하게 됩니다.

혈장 헌혈은 주로 화상 환자, 응고 장애 환자, 그리고 면역력이 약한 환자들에게 사용되는데요.

이 경우 혈장의 단백질과 항체가 필요하기 때문에 혈장 헌혈이 중요한 역할을 합니다.

(2) 적혈구

적혈구는 혈액을 구성하는 주요 세포로, 가운데가 움푹 들어간 원반 모양을 하고 있습니다.

이 독특한 모양은 넓은 표면적을 제공해 산소와 이산화탄소의 교환이 용이하게 합니다. 또한 유연하기 때문에 모세혈관을 통과하기에도 적합한데요.

이러한 특성으로 적혈구는 폐에서 산소를 받아 전신으로 효과적으로 운반하고, 조직에서 발생하는 이산화탄소를 수거하여 다시 폐로 돌려보내는 기능을 수행합니다. 적혈구 안에는 헤모글로빈이라는 단백질이 다량 포함되어 있는데요.

헤모글로빈은 철분을 함하고 있어, 이로 인해 혈액이 붉은색을 띠게 됩니다. 적혈구는 주로 골수에서 생성되며, 평균 수명은 약 120일입니다.

수명이 다한 적혈구는 간이나 비장에서 분해되어 새로운 적혈구를 생성하기 위한 원료로 재활용됩니다.

적혈구의 수나 헤모글로빈의 양이 정상보다 낮아지면, 산소 운반 능력이 저하되어 피로감, 어지러움, 호흡곤란 등의 빈혈 증상이 나타날 수 있습니다. 원인으로는 철분이나 비타민 B12, 엽산 등의 영양소 부족이 있습니다. 반대로, 적혈구의 수가 정상보다 높아지는 경우에는 혈액의 점성도가 높아져 혈관 내 혈전이 생기거나 혈관이 막힐 위험이 높은 다혈증이 발생할 수 있습니다. 이는 혈전증이나 혈관 폐색을 유발할 수 있는데, 원인으로는 고산지대 거주, 흡연, 태아기 산소 부족 등입니다.

이처럼 적혈구의 수나 헤모글로빈 농도 변화는 건강 상태를 나타내는 중요한 지표가 되는 요소입니다.

(3) 백혈구

혈액에서 적혈구를 제외한 나머지 세포들은 백혈구라고 합니다. 백혈구는 면역계의 주요 세포로, 외부에서 침입한 세균, 바이러스, 기생충 등의 병원체를 인식하고 제거하는 중요한 역할을 하는데요. 백혈구는 크게 과립성 백혈구와 무과립성 백혈구로 나눌 수 있습니다.

① 과립성 백혈구

이들은 세포질에 특이한 과립을 가진 백혈구로, 호중구, 호산구, 호염기구의 세 가지 유형이 있습니다.

- 호중구

호중구는 세균을 잡아먹거나 파괴하는 역할을 하며, 혈액 속의 노폐물을 제거하는 데도 기여합니다. 이들은 전체 백혈구의 약 54~62%로 가장 많은 비율을 차지합니다.

- 호산구

호산구는 기생충 감염이나 알레르기 반응에 관여하며, 전체 백혈구의 약 2~5%를 차지합니다. 이들은 주로 기생충을 공격하거나 알레르기 반응을 조절하는 역할을 합니다.

- 호염기구

호염기구는 염증 반응에 중요한 역할을 하며, 히스타민이나 헤파린과 같은 물질을 분비합니다. 이들은 전체 백혈구의 0.5% 미만을 차지하지만, 염증과 알레르기 반응에서 중요한 역할을 합니다.

② 무과립성 백혈구

이들은 세포질에 특이한 과립이 없는 백혈구로, 림프구와 단핵구로 구분됩니다.

- 림프구

림프구는 B세포와 T세포로 나뉘며, 항원에 대한 항체를 생성하거나 비정상 세포를 파괴하는 역할을 합니다. 이들은 전체 백혈구의 약 25~30%를 차지하며, 면역 반응에서 핵심적인 역할을 합니다.

- 단핵구

단핵구는 혈액에서 조직으로 이동하여 대식세포나 수지상세포로 변환됩니다. 이들은 이물질을 먹어 치우거나 항원을 제시하는 역할을 하며, 전체 백혈구의 약 3~8%를 차지합니다.

백혈구의 수치는 정상적으로 혈액 1마이크로리터당 약 4,000~10,000개 정도입니다. 백혈구 수치가 정상 범위보다 낮아지면 면역력이 약해져 감염에 취약해질 수 있습니다. 반면, 백혈구 수치가 정상보다 높아지면 감염, 염증, 또는 백혈병과 같은 질환을 의심해야 합니다. 이러한 백혈구의 수치 변화는 우리 몸의 면역체계 모니터링에 중요하게 작용하는 요소입니다.

(4) 혈소판

혈소판은 혈액 내에서 혈전을 형성하고 출혈을 멈추거나 예방하는 작은 세포 조각입니다. 혈소판은 골수 속 거대 핵세포에서 유래하는데요. 혈관이 손상되면 부상 부위에 모여 서로 엉겨붙어 출혈을 막는 역할을 합니다. 이를 "혈소판 응집"이라고 하며, 혈소판은 손상된 혈관벽에 접착하여 혈전 형성을 촉진합니다. 혈소판의 정상 수치는 혈액 1마이크로리터당 약 150,000~ 450,000개입니다.

혈소판 수치가 정상보다 낮아지는 경우, 이를 혈소판 감소증이라고 합니다. 이 때문에 멍이 잘 들거나 출혈이 멈추지 않아 심각한 생명의 위협을 받을 수 있는데요. 원인으로는 자가면역 질환, 특정 약물의 사용, 또는 골수의 문제 등이 있습니다.

반대로, 혈소판 수치가 정상보다 높아지는 경우를 혈전증이라고 하는데요. 혈액이 과도하게 응고되어 혈관이 막힐 위험이 증가합니다. 혈전증은 심각한 합병증을 초래할 수 있으며, 심부정맥혈전증이나 폐색전증과 같은 상태로 발전할 수 있습니다. 이외에도 혈소판과 관련된 질환으로는 혈액 응고 인자가 부족해 혈액이 응고되는데 필요한 단백질이 부족한 혈우병이 있으며, 이는 혈액이 응고되는 데 필요한 단백질이 결핍되어 출혈이 쉽게 발생하는 질환입니다. 혈관 안에서 생긴 핏덩어리(혈전)가 떨어져 나와 혈관을 타고 이동하다가 막히는 색전증으로 심각한 건강 문제가 발생할 수 있습니다.

색전증은 혈전 이외에도 지방 덩어리나 공기 방울 등이 혈관을 막아서 발생합니다.

당신의 혈관 나이는 몇 살입니까?

그렇다면 우리 눈으로 볼 수 없는
혈관의 나이는 어떻게 알 수 있을까요?

혈관 나이는 보통 건강검진을 통해 확인할 수 있는데요. 이는 혈관의 탄력성을 나타내는 중요한 지표라고 할 수 있습니다. 또한 혈관나이는 혈관질환에 걸릴 수 있는 위험도를 뜻하기도 합니다. 그러니까 혈관 나이가 많다는 것은 혈관질환의 위험도가 그만큼 높다는 뜻입니다.

저는 가끔 혈관을 보일러 파이프에 비유하곤 합니다. 집에 있는 보일러 파이프도 오래 쓰면 고장이 나잖아요, 물론 같은 보일러 파이프여도 어떻게 쓰느냐에 따라서 차이가 있습니다. 주기적으로 청소하고 관리를 잘해주면 아무래도 오래 씁니다. 그래도 안 될 땐 교체하면 되고요, 그런데 우리 혈관은 교체할 수도 있나요? 답은 '아니요'입니다. 혈관이 손상되었다고 교체할 수 없기 때문에 꼼꼼하고 철저하게 관리를 해야 한다는 거죠. 혈관 노화를 막기 위해선 혈관에 탄력이 있어야 합니다. 이를 위해서는 규칙적인 운동과 건강한 식습관이 필수입니다. 또 혈관 속 노폐물이나 독성 물질을 제거하고 노인질환을 예방하는 것으로 혈관의 노화를 막을 수 있습니다. 병원 가기 전, 간단한 체크리스트로 혈관 나이를 알아볼 수 있습니다.

한번 알아볼까요? 아! 45세 이상은 나이만으로 이미 10점의 감점이 있다는 거 참고하시고요.

나의 혈관 체크리스트

항목/점수	0점	3점	5점
1. 흡연	안 피운다	6개월 미만	1년 미만
2. 콜레스테롤	200mg/dl 이하	200-220mg/dl	220-240mg/dl
3. 비만	BMI 23이하	BMI 23~25	BMI 25~27 (1단계비만)
4. 혈압	120/80mmHg 이하	120/80mmHg	130/85mmHg
5. 식습관 (육류 및 기름진 음식 섭취 횟수)	한 달에 한두 번	1주일에 1번	1주일에 2~3회
6. 음주 횟수	한 달에 한두 번	1주일에 1번	1주일에 2~3회
7. 스트레스	별로 받지 않는다	가끔 받는다	자주 받는다
8. 운동 (일주일 단위)	3회 이상 꾸준히	2회 정도	1회 미만
9. 나이	28세 이하	28~34세	34~45세
10. 가족력 (성인병 가족력 여부)	없다	1명	2명

자료제공 : 한국만성질환관리협회

10점	15점	20점
5년 미만	5~10년	10년 이상
240~260mg/dl	260mg/dl 이상	300mg/dl 이상
BMI 27~30 (1단계비만)	BMI 30~35 (2단계비만)	BMI 35 이상 (고도비만)
140/90 ~160/100mmHg	160/100mmHg	200/110mmHg 이상
1주일에 4~5회	매일	
1주일에 4~5회	매일	
매일 받는다		
거의 하지 않는다		
45~60세	60~78세	78세 이상
3명	4명	5명 이상

평가 결과 (총점)

80점 이상 ······· 60세 혈관 노화 심각, 전문의 진단 필요.
60점~78점 ······· 45세 성인병 발병 위험, 건강 진단 필요.
30점~59점 ······· 34세 방심은 금물, 혈관 노화 예방 노력 필요.
30점 이하 ······· 28세 젊은 혈관 유지 노력 필요.

제2장

수명을 좌우하는 혈관질환

높은 혈압과 콜레스테롤, 당신의 생명을 훔친다

혈액과 혈관은 우리 몸의 모든 부분에 관여하기 때문에 그중 어느 한 곳이라도 문제가 생기면 건강에 심각한 이상이 생길 수 있습니다.

예를 들어 피부 바로 아래의 모세혈관에 작은 상처가 생기면, 혈액 속에 세균이나 바이러스가 감염되어 균혈증을 일으킬 수 있다는 거죠. 이를 통해 패혈증이라는 전신성 염증 반응 증후군으로 진행될 수도 있는데요. 패혈증은 빠른 시간 안에 사망에 이를 수도 있는 질병입니다.

어린아이들이 놀이터에서 놀다가 넘어져 상처가 나면 가볍게 생각하지 말고 즉시 소독하고 적절히 처치해 주어야 하는 이유입니다.

그뿐만 아니라 우리에게 생기는 많은 질병의 원인을 살펴보면 대부분이 혈액과 혈관의 문제일 때가 많습니다. 우리 몸의 혈액이 순환하는 길인 혈관에 문제가 생기면, 이는 곧바로 혈액 순환 장애로 이어집니다. 허혈, 출혈, 빈혈 등의 증상이 그렇게 나타나는 거죠.

동맥경화는 동맥 속에 나쁜 콜레스테롤이 쌓여 혈관벽이 탄력을 잃고 석회화되면서 딱딱해지는 상태를 말합니다. 게다가 심장 근육에 혈액을 공급하는 관상동맥에 콜레스테롤이 쌓여 좁아지면 협심증이나 심근경색이 발생하는 거고요.

그뿐일까요?

동맥경화가 생기면 심장이 수축할 때 동맥벽이 제대로 늘어나지 않습니다. 그러면 압력이 고스란히 혈관에 전해지게 되는데 이게 바로 고혈압입니다.

이렇게 혈압이 과도하게 높아지면 결국 모세혈관에도 큰 압력이 전달될 수밖에 없습니다. 모세혈관은 한층의 막으로만 이루어져 있다고 했잖아요?

이 얇은 모세혈관이 높은 압력을 이기지 못하고 파열될 수 있는데요. 이 경우 머리 쪽에서 파열하게 되면 뇌출혈, 지주막하출혈 같은 뇌혈관질환이 발생하게 되는 겁니다.

그렇다면 혈관은 왜 망가질까요?

혈관이 망가지는 큰 이유는 혈액에 단백질과 지방이 너무 많아 혈액이 끈적해지기 때문입니다. 쉽게 말해 너무 잘 먹어서 그렇다는 거죠. 그래서 맑은 혈액이 아닌 끈적하고 탁한 혈액이 자꾸 혈관 벽에 상처를 내면서 망가뜨리는 겁니다. 안타깝게도 혈관은 50% 이상이 막혔을 때에야 신호를 보냅니다. 두통, 손발 저림, 어깨 결림, 성 기능 저하 같은 증상을 그제야 보이는 거죠. 그런데 증상이 나타났을 땐 이미 혈관이 많이 손상된 상태라고 봐야 합니다.

혈관질환은 침묵하며 진행된다

얼마 전, 제게 가슴 아픈 일이 있었습니다.

친한 친구가 갑자기 아프다는 거예요. 계속 머리가 아프고 자꾸 목덜미 부분이 당기는 느낌이 있다고 하더군요. 가까운 병원에서는 바로 원인을 발견하지 못했습니다. 그러다 혈관조영술을 하게 됐는데요. 혈관이 어두운 터널처럼 깜깜하게 나온 겁니다. 동맥경화인 거죠. 당김을 호소했던 목덜미 부분 혈관이 단단하게 굳은 채 막혀서 보이지도 않는 겁니다.

친구와 함께 원인을 알아보기 시작했습니다.
이제 막 아이 둘을 연달아 대학에 보내고 이제야 좀 한가해지나 싶었던 참이었거든요. 수험생 뒷바라지 하느라고 수년간 얼마나 애썼겠어요? 매일 학원 앞으로 데려다주고 데리고 오곤 했답니다. 학원이 끝나면 늦은 시간이고 애들은 배고파하잖아요. 애들이 좋아하고 빠르기도 한 간식으로 햄버거만 한 게 없죠.
자주 먹었던 것 같습니다.
아마 그것이 원인이 아닐까 추측해 봤습니다.
혈관질환에는 우리가 먹는 것들이 큰 영향을 끼치기 때문입니다. 더욱 놀라운 것은 그렇게 혈관이 까맣게 막힐 때까지 친구가 아무런 증상이나 이상을 느끼지 못했다는 점입니다. 혈관질환은 종종 이처럼 조용히 진행되기 때문에 더욱 무섭습니다.

오죽하면
"침묵의 살인자"라는 별명이 붙었겠습니까?

3고(高)로 시작해 돌연사로 끝난다

혈관 건강을 나타내는 3대 지표는
혈압, 콜레스테롤, 그리고 혈당입니다.

우리 몸의 모든 혈관에 영향을 미치는 질환인 고지혈증, 고혈압, 고혈당을 '혈관 3高'라고 부르는 이유이기도 하죠. 이 세 질환은 각기 다른 질환이지만, 서로 밀접한 연관성을 갖고 있습니다.
통계에 따르면 우리나라 20대 이상 성인의 고혈압 추정 유병자는 약 1,260만 명이며, 성인 고지혈증 환자는 1,155만 8,000여 명, 당뇨병 환자는 당뇨 전 단계 환자를 포함 1,000만 명에 육박한다고 합니다.

이러한 통계만 보더라도 가히 국민 만성 질환이라고 불릴 만한 수치인데요. 더욱 위험한 점은 이 세 질환이 상호 악순환 관계를 형성하고 있다는 것입니다.
세 가지 질환이 동시 발병할 경우, 심혈관계 질환의 위험은 두 배 이상으로 증가합니다.
그렇다면 "혈관 3高"에 대해 좀 더 자세히 살펴보겠습니다.

일반인과 기타 질환 사망위험도 비교

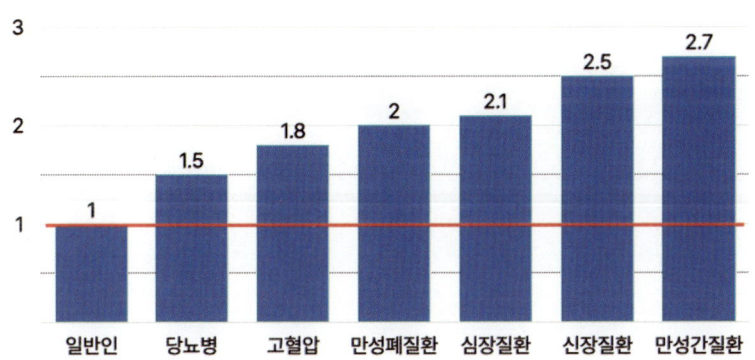

<출처 : 질병 관리청>

1. 고혈압

혈압은 동맥 혈관 벽에 가해지는 혈액의 압력을 말합니다. 쉽게 말해, 혈액이 심장에서 나와서 온몸으로 퍼져 나가는 과정에서 동맥 혈관 벽에 가해지는 힘의 정도를 나타내는 수치라는 거죠. 고혈압은 여러 원인에 의해 혈압이 높아진 상태를 의미합니다. 혈액의 압력은 심장이 수축하여 동맥 혈관으로 혈액을 보낼 때 가장 높은데요. 이때의 혈압이 수축기 혈압입니다. 반면, 심장이 이완하여 혈액을 받아들일 때의 가장 낮은 혈압이 이완기 혈압입니다.

우리나라 성인 인구의 약 30%가 이러한 고혈압 증상이 있는 것으로 추정되는데요.

'대한고혈압학회'와 '미국심장학회'에서 제시한 혈압의 기준은 다음과 같습니다.

① 정상 혈압

수축기 혈압 120mmHg 미만,

확장기 혈압 80mmHg 미만

② 고혈압 전단계

수축기 혈압 120~139mmHg 이상,

확장기 혈압 80~89mmHg

③ 1기 고혈압(경도 고혈압)

수축기 혈압 140~159mmHg 이상,

확장기 혈압 90~99mmHg

④ 2기 고혈압(중등도 이상 고혈압)

수축기 혈압 160mmHg 이상,

확장기 혈압 100mmHg 이상

혈압이 높다는 것은 심장과 혈관에 부담을 주어 심혈관질환의 위험을 증가시킨다는 뜻입니다. 고혈압은 1차성 고혈압과 2차성 고혈압으로 분류되는데요. 1차성 고혈압은 전체 고혈압 환자의 약 90%로 원인을 알 수 없는 경우가 대부분입니다. 나머지 5~10%는 원인이 명확한 2차성 고혈압에 해당합니다.

1차성 고혈압은 단일 원인에 의해 유발되지 않습니다. 여러 가지 요인이 쌓여 고혈압을 일으킨다는 거죠. 가장 흔한 원인은 유전적인 요인(가족력)이며, 노화, 비만, 짜게 먹는 습관, 운동 부족, 스트레스 등도 원인으로 지목됩니다. 2차성 고혈압은 신장 질환, 호르몬 이상, 약물 등 특정한 원인으로 발생하는 경우입니다.

고혈압은 대부분 초기에는 특별한 증상이 없지만, 진행되면 두통, 심장 두근거림, 박동성 이명, 눈 충혈 등의 증상이 나타날 수 있는데요. 혈관에 지속적으로 높은 압력이 가해지면 혈관벽이 손상되고, 이는 심뇌혈관질환의 위험을 증가시킬 수 있습니다.

2. 고지혈증 (이상지질혈증)

고지혈증의 정확한 명칭은 이상지질혈증이라 합니다. 우리가 흔히, 피에 기름이 많이 꼈다는 것을 나타내는 표현으로 고지혈증이라고 부르는데요. 혈액 중에 지질의 일종인 콜레스테롤이나 중성지방의 양이 정상 수치보다 많은 상태인 겁니다. 과도한 양의 지질이 혈액 내에 존재할 경우, 이 지방 성분이 동맥 벽에 침착되어 혈관이 좁아지게 되는데요. 이로 인해 심장과 뇌의 혈관질환 발생 위험이 높아지게 됩니다.

우리나라 30세 이상 성인의 절반가량인 47.8%가 고지혈증을 가지고 있다고 하는데요. 이 중에서 남자는 57.6%, 여자는 38.3%에 달합니다.

특히 25세 이후부터는 성장 호르몬 분비량이 급격히 줄어들면서, 이상지질혈증의 발현 비율도 높아지는데요.

따라서 혈액 속의 콜레스테롤 수치 검사를 통해 꾸준한 관리가 필요합니다. 고지혈증의 진단은 금식 후 혈액검사로 이루어지는데요. 검사 항목에는 총 콜레스테롤, 중성지방, 고밀도 콜레스테롤(HDL), 저밀도 콜레스테롤(LDL)이 포함됩니다.

고지혈증의 진단은 금식 후 혈액검사로 이루어지며, 일반적으로 총 콜레스테롤이 230mg/dl, 중성지방이 200mg/dl, LDL콜레스테롤 150mg/dl 이상이면 고지혈증이라 진단하는데요. 여기서 저밀도콜레스테롤(LDL)은 혈관에 침착되어 동맥경화를 유발하는 "나쁜 콜레스테롤"로 불리고, 고밀도콜레스테롤(HDL)은 나쁜 콜레스테롤을 제거하는 역할을 하는 "착한 콜레스테롤"이라고도 불립니다. HDL 수치가 높을수록 심혈관질환의 위험이 낮아지는 것으로 알려져 있습니다.
이러한 고지혈증을 주의해야 하는 이유는 동맥경화, 협심증, 심근경색, 뇌졸중 등의 원인이 될 수도 있기 때문인데요. 뿐만 아니라 고지혈증으로 인해 늘어난 지방 대사물질이 세포 염증을 유도하면서 당뇨병의 원인으로도 작용할 수 있습니다. 따라서 고지혈증 예방과 관리가 중요하다는 겁니다.

3. 고혈당

고혈당증은 당뇨병의 대표적 증상 중 하나로 혈당이 정상 혈당보다 높은 상태를 말하는데요. 일반적으로 혈당이 180mg/dL 이상으로 높아진다는 건 우리 몸에서 분비되는 인슐린이 부족하거나 저항성이 커서 혈당 관리가 안 된다는 뜻입니다.

당뇨병이라는 말은 소변으로 당이 배출된다고 하여 붙여진 이름입니다. 우리 몸은 혈당을 일정 수치 내에서 유지해 일상생활에서 필요한 에너지를 즉각 즉각 조달할 수 있도록 합니다. 정상적인 경우 소변으로 당이 넘쳐나지 않을 정도로 혈당이 조절되는데요. 췌장에서 분비되는 '인슐린'이라는 호르몬의 작용입니다.

이러한 인슐린이 모자라거나 제대로 일을 못 하는 상태가 되면 혈당이 상승하는데요. 이에 따라 혈당이 지속해서 높은 상태가 되는 거죠.

고혈당으로 인한 전형적인 증상으로는 다뇨(소변을 자주 봄), 다식(음식을 많이 섭취함), 체중 감소가 있습니다. 혈당이 높아지면 소변으로 당이 빠져나가는데요. 이때 포도당이 다량의 물을 함께 끌고 나가기 때문에 소변의 양이 많아집니다. 따라서 몸 안의 수분이 모자라 갈증이 심해지고, 이로 인해 물을 많이 마시게 되는 거죠. 또한 섭취한 음식의 영양분이 세포 안에 저장되거나 에너지원으로 제대로 이용되지 못하고 빠져나가면서 피로감과 공복감이 심해지고, 점점 더 먹는데도 체중이 줄어들게 됩니다.

당뇨병은 한 번 걸리면 좀처럼 낫기 어려운 만성질환으로 알려져 있는데요. 유전적인 체질과 환경적 요인이 중요한 역할을 합니다. 예를 들어, 부모 중 한 명이 당뇨병일 경우 자녀가 당뇨에 걸릴 확률은 20%이며, 부모 모두가 당뇨병일 경우 그 확률은 50%로 증가합니다. 환경적인 요인으로는 비만, 운동 부족, 스트레스 등이 있는데요. 유전적으로 당뇨병에 걸리기 쉬운 사람이 당뇨병을 유발하기 쉬운 환경에 노출될 때는 발생 확률이 훨씬 높아지게 되는 거죠.

혈당이 지속적으로 250 mg/dL 이상인 경우, 의식 저하와 탈수 증상 및 징후가 나타나는지 주의 깊게 살펴야 하는데요. 고혈당에 만성적으로 노출되면 눈, 콩팥, 신경, 심장, 뇌혈관 등에 당뇨병 만성 합병증이 생길 가능성이 커지므로 혈당을 목표치 이내로 꾸준히 조절하는 것이 중요합니다.

일반적으로 당뇨병은 만성 질환으로 알려져 있지만 모든 경우가 그렇지는 않습니다.

정상 범위에 있던 사람의 혈당이 갑자기 정상치의 몇 배에서 수십 배까지 치솟는 급성 상황도 발생할 수 있는데요. 이러한 경우에는 극심한 피로감, 탈진, 급격한 시력 저하로 인해 앞이 보이지 않거나, 심한 경우 실신에 이를 수 있습니다. 이런 증상이 나타날 경우에는 즉각적인 의료 조치가 필요합니다.

4. 동맥경화증

앞서 설명한 고혈압, 고지혈증, 고혈당은 상호 작용하여 악순환 관계를 형성하고 있습니다.

혈압, 콜레스테롤, 혈당 등이 하나씩 정상 범위를 벗어나게 되면 심뇌혈관에 미치는 위험성이 점점 커지게 된다는 뜻입니다.

예를 들어 당뇨병만 가진 사람의 뇌졸중 발병률이 0.84%라면, 당뇨와 고지혈증을 함께 가졌을 경우 이 수치가 5.26%로 올라갑니다.

당뇨병과 고혈압, 고지혈증 모두를 가진 경우에는

5.93%까지 뇌졸중 발병률이 높아지는 거죠.
이러한 질환들은 모두 생활 습관과 밀접한 관련이 있어 동시다발적으로 생길 수밖에 없습니다.
실제로 우리나라 고혈압 환자 61%는 고지혈증이나 당뇨병 치료를 병행하고 있는데요.
세 가지 질환 모두를 치료받는 경우도 약 19%에 이르는 것으로 나타났습니다.

이때 흔히 나타나는 질환으로 동맥경화증이 있습니다. 돌연사의 원인이 되기도 하는 질환인데요. 동맥경화증은 동맥 혈관 벽에 중성 지방층이 쌓이고 탄력성이 떨어지면서 혈액이 지나는 길인 동맥이 좁아지는 현상을 말합니다. 동맥의 폭이 좁아지면 자연히 좁아진 부분을 통과하는 혈액의 흐름은 방해를 받게 되는데요. 대개는 증상이 나타나지 않다가 동맥이 70% 이상 좁아지면 비로소 그 증상이 나타나게 됩니다. 사실 동맥경화란 말 자체는 병명이 아니고 동맥의 병적 변화를 의미하는데요. 따라서 동맥경화증에 의해 문제가 생긴 장기에 따라서 구체적 병명이 붙게 됩니다. 뇌동맥 경화에 의한 뇌경색, 관상동맥 경화에 의한 심근경색 등을 말하는 거죠.

동맥벽의 손상을 일으키는 주요 요인 중에는 고혈압, 고지혈증, 당뇨병이 포함됩니다. 그 외에 흡연, 비만, 운동 부족, 스트레스 등이 있는데요. 앞서 말씀드린 제 친구의 경우처럼 대부분 상당히 진행되어 있더라도 증상이 나타나지 않는 것이 보통입니다. 말초 부위의 혈류가 감소하고 나서야 비로소 증상을 느끼게 된다는 거죠.

농맥경화 진단은 문진 및 진찰, 혈압 측정, 영상 검사(경동맥 초음파, 복부초음파, CT, MRI) 심전도 및 혈관 조영을 통해 이루어집니다. 이러한 검사를 통해 좁아진 혈관 부위를 찾아내고 적절한 치료를 진행하게 됩니다.

어떠세요? 대략 알고는 있었지만 이렇게 수치와 연관성을 통해 명확하게 알게 되니 조금 겁이 나기도 하죠? 그러나 제가 공포감을 드리려고 말씀드린 게 아닙니다. 혈관 건강을 위해 생활 습관부터 미리미리 점검하고 개선하자는 뜻입니다.

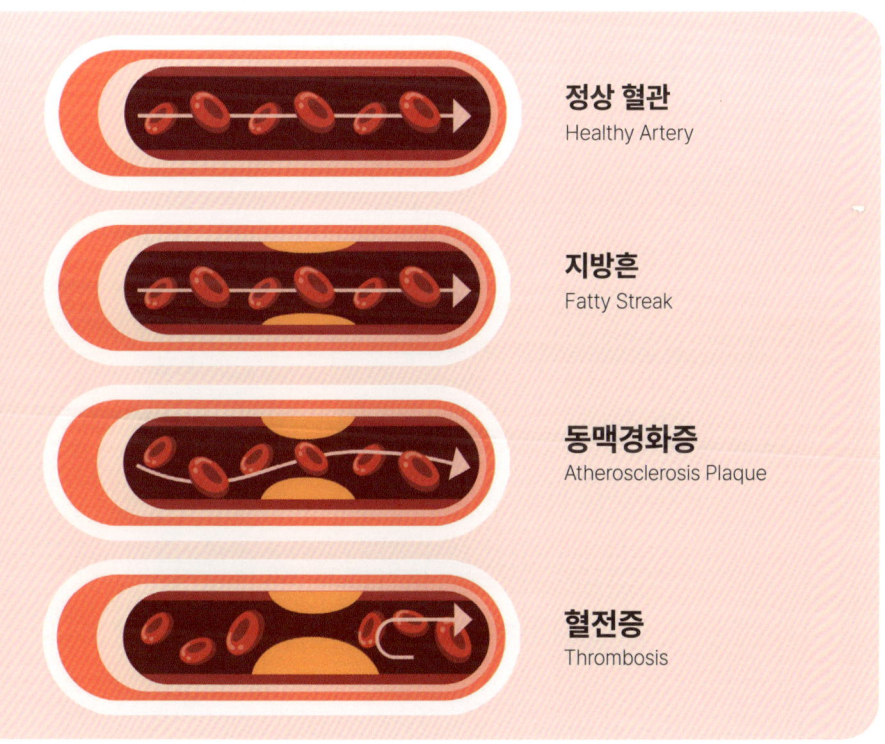

초고령 한국 사회, '치매 쓰나미'가 닥친다

얼마 전까지만 해도 우리를
가장 두렵게 하는 질병은 암이었습니다.

그러나 이제는 많은 사람들이 '치매'를 암보다 더 두려워하고 있습니다. 그 이유는 아마도 높아진 기대수명 때문일 겁니다. 몇 살까지 사는지가 중요한 것이 아니라, 얼마나 건강하게, 그리고 총기를 갖고 활기차게 살아가는지가 더욱 중요하다는 것을 의미하겠죠. 기억을 잃고 흐릿한 정신으로 살아가는 것이 얼마나 힘든 일이겠어요?

1. 치매

치매의 원인은 무려 80~90가지 종류가 알려져 있는데요. 그중 가장 높은 비율을 차지하는 원인 질환은 알츠하이머병으로, 전체 치매 환자의 약 50%를 차지합니다. 그다음 20~30%가 혈관성 치매, 그 뒤로 루이체 치매가 10%를 차지하고 있습니다.

먼저 알츠하이머병은 뇌에 비정상적인 단백질이 축적되는 질환인데요. 이로 인해 대뇌에 있는 피질 세포와 해마가 점진적으로 퇴행하여 기억력과 인지 능력, 언어 기능의 장애가 생깁니다. 경과적으로 판단력과 방향 감각을 잃게 되고, 성격도 바뀌어 스스로를 보살피는 능력이 저하됩니다. 알츠하이머병의 90% 이상은 유전과 직접적인 관계가 없는 산발형 알츠하이머병인데요. 나머지 10%는 유전 확률이 높은 가족성 알츠하이머병입니다. 루이체 치매는 파킨슨병 치매라고도 불립니다. 이름 그대로 파킨슨병에 의해 발생하는 치매인데요. 파킨슨병이란 뇌세포들끼리 신호를 전달하기 위해 분비되는 신경전달물질 중 하나인 도파민이라는 호르몬의 분비를 관장하는 뇌 부위가 손상되어 생기는 질환을 뜻합니다. 또 전두측두엽 치매는 감정 변화와 행동 이상이 증상으로 나타나는데요. 기억력 저하보다는 판단력 저하로 힘들어합니다. 이외에도 알코올성 치매, 후천성 면역 결핍증에 의한 치매, 픽병에 의한 치매, 뇌 손상 후 발생하는 치매 등이 있습니다. 그중에서도 특히 주목해야 할 것이 혈관성 치매입니다. 치매에 대해 이렇게 강조해서 설명하는 이유는 많은 사람이 치매를 뇌 질환으로만 오해하기 때문입니다. 전체의 20~30%에 달하는 치매가 혈관성인데 말이죠.

혈관성치매는 앞서 설명한 뇌출혈, 뇌졸중, 고혈압, 고지혈증, 당뇨와 같은 혈액 순환 관련 질환으로 인해 발생합니다. 잦은 음주, 폭식이나 과식과 같은 식습관 등 나쁜 생활 습관으로 인해 뇌혈관이 좁아져 산소 공급이 원활하게 이루어지지 않거나 터졌을 때 뇌세포가 손상되는 것이 원인이 됩니다. 이는 이른 나이에도 치매가 올 수 있다는 이야기가 될 수 있습니다. 따라서 치매 예방을 위해서는 건강한 생활 습관을 유지하는 것이 무엇보다 중요합니다.

2. 뇌졸중
뇌졸중은 뇌가 손상되어 나타나는 신경학적 증상을 의미하는데요. 이 질환은 뇌의 특정 부분에 혈액을 공급하는 혈관이 막히는 경우인 뇌경색과 혈관이 터지는 뇌출혈로 크게 나눌 수 있습니다. 흔히 우리나라에서는 '중풍'이라고도 불립니다.
사실 뇌졸중은 우리나라 단일 질환 사망원인 1위를 차지할 정도로 높은 발생 빈도를 보입니다.
실제로 뇌졸중이 발생하면 길을 걷다 쓰러져 의식을 잃거나 갑자기 말을 더듬거나 못하는 언어 장애 증상이 나타나는데요. 이러한 증상이 나타났을 때는 즉각적인 응급조치가 필요합니다.

뇌졸중의 경우 골든아워 4.5시간 이내에 응급실에 가야 합니다. 이 시간을 넘기면 치료의 효과가 크게 떨어질 수 있기 때문이죠. 뇌졸중은 주로 40~50대 이상의 중장년층과 노년층에서 많이 발생하는데요. 30대 이전의 청년층에도 발병할 수 있는 질환입니다.

특히 극심한 현기증이나 두통, 시각 장애, 팔이나 다리의 마비 또는 감각 이상 등의 증상이 나타날 경우 즉시 병원으로 가서 진찰받아야 합니다.

이러한 증상들이 뇌졸중의 전조증상일 수 있으며 조기 발견이 치료의 성공률을 높이기 때문이죠.

내 혈관이 보내는 SOS!

어떠한 질환이든지 한번 걸리고 나면
치료가 되더라도 원래 상태로
돌아가기가 좀처럼 쉽지 않습니다.

특히 혈관질환은 혈관이 막혔을 때 시술을 통해 통증이 없어졌다고 문제가 다 해결되었다고 볼 수는 없는데요. 혈관은 모두 연결되어 있어 한 부위에서 문제가 발생하면 전체적으로 영향을 미쳐 온몸의 문제가 될 수 있기 때문입니다.
따라서 한 부위가 막혔다면 언제든지 다른 부위가 또 막힐 가능성이 있습니다.

그렇기 때문에 혈관질환은 부분이 아니라 혈관 전체를 보고 예방하는 것이 필요합니다.
혈관이 막히기 전에 미리 문제가 생기고 있음을 미리 알아차리는 것부터 시작해야 하는 거죠.

혈관이 약해지고 경화되고 또 좁아지는 과정에서 다양한 신호를 보냅니다. 이러한 신호를 놓치지 말아야 하는데요. 나이가 들면서 혈관이 노화되는 건 사실이지만 혈관이 노화되는 속도는 사람마다 달라서 나이에 관계없이 내 몸에서 반복적이고 다양한 신호를 보낸다면 신경 쓰고 관리를 해야 합니다.

혈관의 폐색이나 막힘은 신체의 다양한 부위에서 발생할 수 있으며 막힌 위치와 정도에 따라 다양한 증상이 나타날 수 있습니다. 막힌 혈관과 관련된 다양한 부위의 일반적인 증상에 대해 알아보겠습니다.

(1) 심장(관상동맥)

- 가슴 통증(협심증)

관상동맥 막힘의 가장 흔한 증상은 가슴 통증 또는 불편함입니다. 주로 조임, 압박감, 쥐어짜는 느낌 또는 작열감으로 표현하는데요. 목, 팔, 등 또는 턱으로 퍼질 수도 있습니다.

- 호흡 곤란

심장으로 가는 혈류가 감소하면 신체 활동이나 운동 중에 호흡곤란이 발생할 수 있습니다. 이는 폐의 문제로 오인할 수 있지만 심장의 문제일 수 있습니다.

- 피로

심장 근육으로의 혈액 공급이 감소하게 되면 최소한의 움직임에서도 피로감이나 쇠약감을 느낄 수 있습니다.

(2) 뇌(경동맥)

- 일과성 허혈 발작 또는 뇌졸중

뇌에 혈액을 공급하는 경동맥이 부분적으로 또는 완전히 막히면 일과성 허혈 발작(작은 뇌졸중) 또는 뇌졸중이 발생할 수 있습니다. 증상을 들자면 신체 한쪽의 갑작스러운 쇠약감이나 마비, 말하기나 알아듣기 어려움, 시력의 변화, 심한 두통, 균형감각이나 조정력 상실 등이 있습니다.

(3) 다리(말초 동맥)

- 걸을 때 허벅지, 종아리, 엉덩이에 나타나는 통증
다리 동맥이 좁아지거나 막히면 걷거나 운동할 때 종아리, 허벅지, 엉덩이 또는 엉덩이 근육에 경련이 일거나 찌릿찌릿함 또는 피로가 발생할 수 있습니다.

- 피부 변화
다리로 가는 혈류가 감소하면 피부가 창백하거나 푸르스름하게 변색할 수 있습니다. 또 차가워지거나 피부가 번들거리는 등의 피부 변화가 나타날 수 있는데요. 심하면 발가락, 발 또는 다리에 궤양이나 상처가 생길 수 있습니다.

(4) 복부(장간막 동맥)

- 복통

장에 혈액을 공급하는 장간막 동맥이 막히면 식사 후 심한 복통(장 협심증)이 발생할 수 있는데요. 통증은 경련성, 확산성이거나 국소적일 수 있습니다. 식사에 대한 두려움이 생겨 급격한 체중 감소로 이어지기도 합니다.

- 메스꺼움과 구토

장으로 가는 혈류가 감소하면 식사 후에 메스꺼움, 구토, 설사가 발생할 수 있습니다.

(5) 신장(신장 동맥)

- 고혈압

신장 동맥이 좁아지거나 막히면 고혈압으로 이어질 수 있으며, 이는 약물로 조절하기 어려울 수 있습니다.

- 소변 배출량 감소

신장 동맥이 심하게 막히면 소변 배출량 감소, 체액 저류, 다리, 발목 또는 복부 부종이 발생할 수 있습니다.

(6) 팔(쇄골 하 동맥)

- 팔 통증 또는 쇠약

쇄골하동맥이 막히면 운동할 때 팔에 통증, 쇠약감, 저림 또는 따끔거림이 발생할 수 있는데요.
이를 '쇄골하동맥 막힘 증후군'이라고 합니다.

혈관이 막힌 것으로 의심되는 증상이 나타나면 즉시 의사의 진료를 받아야 합니다. 조기 진단과 치료는 합병증을 예방하고 치료 결과를 개선하는 데 매우 중요하기 때문이죠.

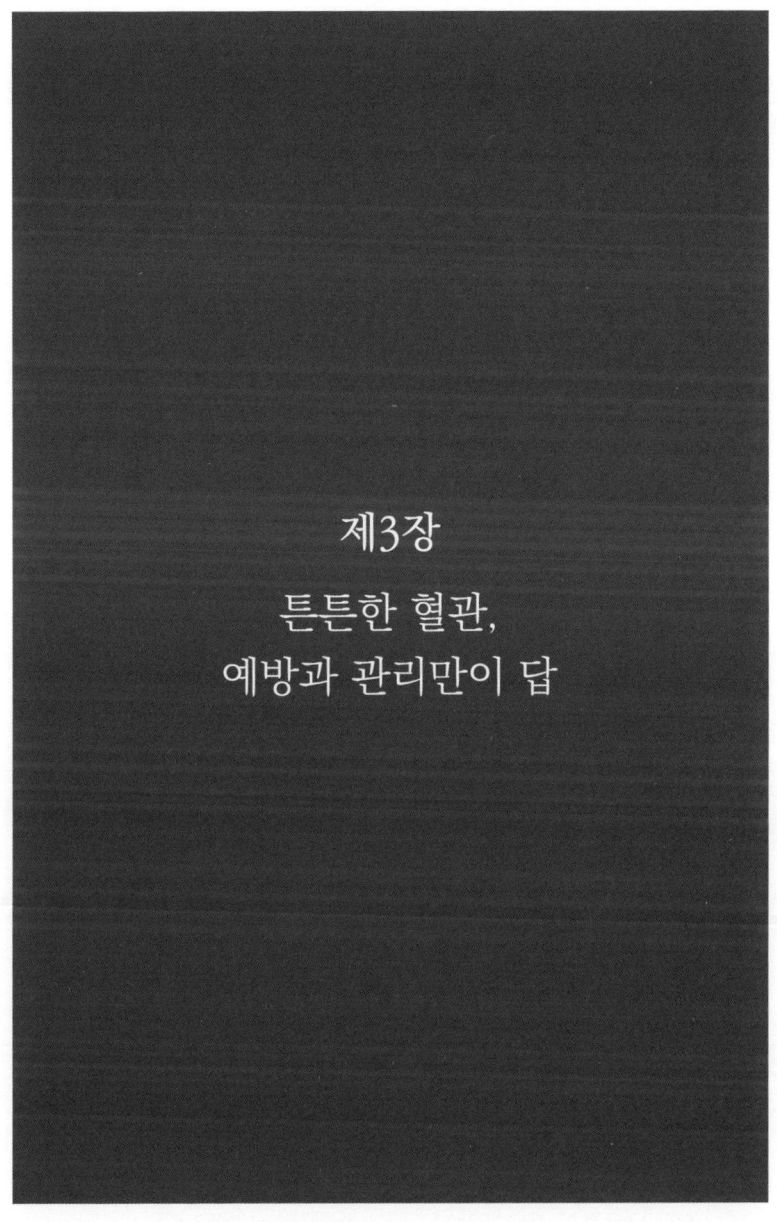

제3장
튼튼한 혈관, 예방과 관리만이 답

사람은
일정한 속도로 늙지 않는다

질문 하나 해볼까요?
만약 지금보다 젊어질 수 있다면
뭘 하고 싶으세요?

SF 영화 이야기처럼 허무맹랑하다 싶으면서도
또 곰곰 생각해 보게 되죠? 사람이니까요.
그런데 이 질문에 과학적으로 접근해 증명한 과학자들이 있더라고요.

청춘을 돌려받기 위한 '젊은 피 수혈'이라는 방법을 연구했는데요. 스탠퍼드대 연구진이 연구 끝에 신체 건강한 젊은이들의 혈액을 나이 든 사람의 몸속에 주입하면 자연 치유의 힘이 좋아진다는 연구 결과를 발표했습니다.

어린 쥐의 피를 늙은 쥐에 수혈하는 실험을 통해 노화가 멈추거나 역전되는 현상을 직접 확인했습니다.
어린 쥐의 혈액에서 혈구를 제거한 혈장을 늙은 쥐에게 직접 투입했는데요. 그 결과, 늙은 쥐의 학습 능력과 기억 능력이 높아진다는 사실을 알아낸 것이죠. 어린 쥐들의 피를 받고 늙은 쥐의 기억을 관장하는 해마 속의 새로운 신경세포가 폭증했다고 합니다.
깜빡깜빡하던 사람들이 어렸을 때의 총명함을 되찾게 되면 어떤 기분일까요?

사실 생명체는 세포로 이뤄진 기관의 조합이고 세포

들은 오래되면 분열하면서 또 새로운 세포로 끊임없이 교체됩니다. 결국 세포가 노화된다는 건 기관과 개체의 노화로 직결되는 문제고요. 그래서 세포의 노화를 막는 방법을 혈관과 혈액에서 찾아볼 생각을 한 건 어쩌면 너무 당연한 이야기일 겁니다.

혹시 수혈받을 일이 생기면 가능한 젊은 혈액을 받아야 한다는 말이 아주 틀린 말은 아니라는 거죠.

사람은
34세, 60세, 78세,
세 번 늙는다

또 하나 혈액이 갖고 있는 비밀이 밝혀졌습니다.

우리는 흔히 시간이 지나면서
한 단계, 한 단계
일정한 속도로 늙어간다고 생각했습니다.

그런데 이 생각과 달리, 인간은 살면서 세 번에 걸쳐 급진적인 노화 시기를 거친다는 연구 결과가 나온 것이죠. 그 세 번의 변곡점이 되는 나이가 바로 34세, 60세, 78세인데요. 각 시점마다 급격하게 노화가 진행되어 버린다는 겁니다.

나이에 따른 혈액 속 노화 단백질의 양 변화

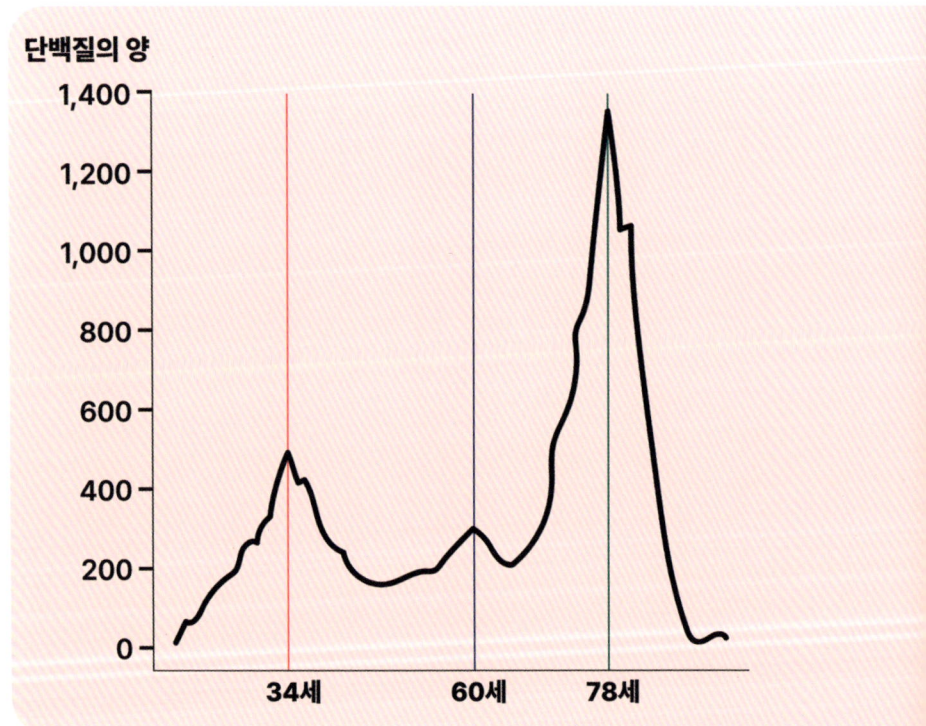

이번 연구 역시 미국 스탠퍼드대학교 연구진에 의해 진행되었습니다.

연구진은 18세에서 95세까지의 4,263명을 대상으로 혈장단백질 실험을 진행했는데요. 혈액에서 혈장을 분리한 뒤 3,000가지의 혈장단백질을 분석한 겁니다. 그 3,000가지 혈장단백질 중 1,379가지가 나이가 들면서 수치가 변화한다는 사실을 발견했습니다. 이때 연구자들은 이러한 변화가 노화의 단서라는 확신을 갖게 된 겁니다.

이 단백질 수치를 바탕으로 34세, 60세, 78세에 두드러진 변화를 보이는 '노화 그래프'를 찾아냈습니다. 이런 혈액 속 단백질 수치는 생체활동의 변화를 초래할 가능성이 크다는 의미이기도 합니다. 즉, 혈액 속 단백질이 생체 시계 역할을 할 수 있다는 것이죠. 이러한 연구가 차질 없이 진행된다면, 혈액 한 방울로 우리 세포가 얼마나 노화되었는지를 측정할 수 있는 날이 올지도 모릅니다.

정말 흥미진진한 이야기 아닙니까?

이러한 발견은 노화 연구와 건강 관리에 큰 영향을 미칠 수 있으며, 향후 개인의 건강 상태를 조기에 파악하고 적절한 예방 조치를 취하는 데 도움이 될 것입니다.

혈액이 단순한 생리적 요소가 아니라, 노화의 지표로서도 중요한 역할을 할 수 있다는 점에서 매우 의미 있는 연구가 되는 거죠.

혈관 노화와
NO(산화질소)의 연결고리

이 대목에서 짚고 넘어가야 할
중요한 물질이 하나 있습니다.

바로 원소기호 NO, 산화질소입니다.

산화질소는 혈관에서 발견되는 기체 상태의 물질로 우리 혈관의 내피에서 생성됩니다. 그러나 나이가 들면서 생성이 줄어들게 되는데요. 또한 산화질소가 줄어들면 혈관 노화가 가속화되더라는 겁니다.
이는 산화질소가 혈관 노화의 비밀을 쥐고 있는 핵심

요소와도 같다는 의미입니다. 혈관 노화가 우리 몸 전체의 노화와도 직결되어 있으니 아주 중요한 문제고요. 산화질소는 동맥 혈관 내의 평활근을 이완하는 효소를 활성화하는 역할을 합니다. 그로 인해 혈관이 확장되고 혈액 순환이 원활해지는데 기여하는 거죠. 점점 줄어드는 산화질소 생성은 혈관 확장이 크게 약해지는 것으로 그 상관관계를 알아볼 수 있었는데요. 산화질소의 생성은 20대에 가장 높은 수치를 기록했고요. 30대가 되면 80% 정도, 40대가 되면 50% 정도로 생성이 줄어듭니다. 50대가 되면 약 35%, 그리고 60대가 되면 10% 정도로 확 떨어집니다.

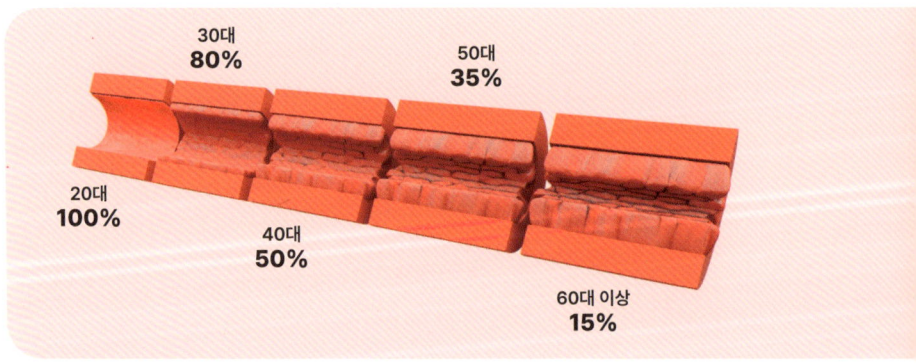

연령별 혈관벽 탄력과 산화질소 포화량의 관계

왜 산화질소 생성이 줄어들까요?
혈관이 막히면 산화질소의 생성이 감소하고, 그 결과 혈관이 노화하게 되는 악순환이 발생하는 거죠. 나이가 들수록 산화질소가 줄어들면서 혈관의 탄력이 떨어지고, 혈관이 두꺼워지며 혈전이 쌓이게 되어 혈액순환 장애를 유발하게 됩니다.

그렇다면 감소한 산화질소를
생성하는 방법은 없을까요?

산화질소는 운동을 통해 우리 몸이 자극받을 때 생성되며, 특정 식품을 섭취함으로써도 생성이 촉진됩니다. 특히 L-아르기닌이라는 아미노산이 산화질소 생성을 돕습니다. L-아르기닌은 고기, 생선, 두부 등의 단백질 식품을 통해 섭취할 수 있습니다.
산화질소에 대해서는 다음 장에서 보다 더 자세히 다루도록 하겠습니다.

체온 조절의 비법, 혈관 관리에 있다

저는 겨울을 싫어합니다.

원래부터 그랬던 건 아니고요, 나이가 들고 또 몇 해 전 위암이라는 큰 병을 앓고부터 유독 추위를 못 견디게 됐습니다. 많은 분이 동감하실 텐데요.
특히 손끝 발끝이 시려서 깨질 것처럼 아프다가 따뜻한 곳으로 들어가면 또 저릿저릿해지기도 합니다.
이러한 수족냉증이 생기는 이유도 혈관과 관계가 있습니다.

1. 몸이 차면 혈관도 좁아진다?

몸이 차가워지면서 혈관이 수축해서 혈액의 흐름이 원활하지 못하게 된 거죠. 또 손끝과 발끝의 모세혈관이 망가져 혈액이 잘 전달되지 않을 수도 있습니다. 혈류가 원활하지 않다는 것은 세포에 필요한 산소와 영양소가 잘 전달되지 않는다는 뜻이잖아요? 당연히 몸의 노화도 더 빨리 진행됩니다. 그리고 피부나 머리카락도 윤기를 잃게 되죠. 우리가 흔히 "오, 얼굴 좋아 보인다. 혈색이 좋은데?" 하고 인사하잖아요? 그때의 혈색은 혈액 순환이 잘 되어 피부가 반질반질 윤기가 돌고 홍조를 띠어 건강해 보인다는 의미입니다. 우리는 알게 모르게 자신과 타인의 혈관 건강을 이렇게 챙겨 온 겁니다.

한겨울에 너무 추울 때 온몸이 오그라드는 느낌이 들 때가 있잖아요? 그런데 이건 단순한 느낌만은 아닙니다. 그럴 때 혈관이 급격히 수축하거든요. 그렇게 되면 혈압도 상승하게 되는데요. 이는 심장이 혈액을 더 강하게 펌프질해야 한다는 뜻입니다. 이로 인해 심장에 부담이 가중되어 심혈관계 질환의 위험이 커질 수 있습니다.

찬 바람이 불기 시작하는 10월부터 유난히 혈관계 질환 환자가 급증하기 시작하는데요. 1월이면 환자 발생 수가 가장 높습니다. 낮은 기온이 체온을 유지하기가 어렵게 하고 혈압조절이 까다로워져 혈관 관련 질환의 위험이 심하게 증가할 수밖에 없습니다.

건강한 혈관은 단순히 혈압관리뿐 아니라 몸 전체의 원활한 기능을 유지할 수 있도록 보장해 주는 거죠. 저체온증이 발생하면 혈관이 비정상적으로 확장되거나 체온 조절 기능이 무력화될 수 있는데요.
또한 혈액 순환 장애로 인해 면역력이 저하돼 감기를 비롯한 다른 면역 질환에도 쉽게 노출될 수 있습니다.

2. 1도(℃)의 기적

"1도(℃)의 기적"이라는 말을 들어보셨나요?
체온이 1도(℃)만 올라가도 우리 몸의 면역력이 무려 50%나 증가한다고 합니다.
반대로, 체온이 1도(℃) 내려가면 면역력이 30%나 감소한다고 하니, 체온 관리가 우리 건강에 있어 얼마나 중요한지 알 수 있을 겁니다.
그렇다면, 체온을 어떻게 올릴 수 있을까요?
우선 우리 몸의 끝자락에 있는 모세혈관을 튼튼하게 만드는 것입니다. 모세혈관은 혈액을 우리 몸 구석구석으로 전달하는 중요한 통로라고 했잖아요.
만약 혈액 순환이 원활하지 않다면, 이 모세혈관은 점

차적으로 망가져 혈액이 제대로 흐르지 않게 됩니다.
이러한 현상을 쉽게 이해하기 위해 비유를 들어볼까요? 사람이 다니지 않는 길은 시간이 지나면서 잡초에 뒤덮이고, 결국에는 어디가 길인지도 모르게 사라지기 마련입니다. 혈관도 이와 같습니다. 우리가 혈액이 흐르는 길을 끊임없이 자극하고 관리하지 않으면, 모세혈관이 퇴화하고 그 기능이 감소하게 된다는 거죠. 이로 인해 안정적인 체온 유지가 어려워지고, 면역력 역시 저하될 수 있습니다. 이러한 혈액 순환을 촉진하는 가장 효과적인 방법 중 하나는 규칙적인 운동입니다. 운동은 심장 박동을 증가시켜 혈액이 더욱 원활하게 순환하도록 돕고, 모세혈관의 기능을 강화하는데요. 걷기, 조깅, 요가 등 어떤 운동이든 좋습니다.
중요한 것은 꾸준히 몸을 움직여 근육량을 늘리고, 체온을 자연스럽게 높이는 것이니까요.
여기서 한 가지 더 알아두어야 할 점은, 몸에 열을 발생시키는 핵심 기관이 바로 근육이라는 사실입니다.

근육량이 많을수록 체온을 높게 유지하는 데 유리합니다. 또한 실내 온도에 신경을 써야 하는데요. 겨울이라고 너무 따뜻한 실내 온도는 오히려 땀으로 체온을 빼앗길 수도 있습니다. 반대로, 아무리 더운 여름이라도 냉방을 과하게 사용하는 것은 절제해야 합니다. 한여름 냉방병으로 고생한 경험 한 번쯤은 있으시죠? 그러니 너무 춥거나 더운 환경을 피해 적절한 온도를 유지하는 것이 중요합니다. 자기 전에 반신욕을 하는 것도 체온을 올리는 데 도움이 되는데요, 반신욕을 하는 동안 자연스럽게 혈액 순환이 촉진됩니다. 따뜻한 물에 몸을 담그면 근육이 이완되면서 피로가 풀리고, 체온도 상승하는데요, 스트레스를 풀고, 편안한 수면을 위해서도 효과적입니다. 마지막으로, 생강, 고추, 부추와 같은 식재료들도 체온을 올리는 데 큰 역할을 합니다. 이러한 식재료들은 몸을 따뜻하게 해주고, 면역력 강화에도 도움을 줍니다. 따뜻한 음식으로 몸을 덥히는 것도 좋은 방법 중 하나입니다.

제4장
노화방지의 열쇠, NO(산화질소)

노벨상을 수상한 물질

앞서 혈관을 이야기하며 잠시 언급되었던 산화질소에 대해 좀 더 자세히 이야기해 보려 합니다. NO(산화질소)가 그만큼 중요하다는 뜻이겠죠?

산화질소(Nitric oxide, NO)는 생리학적 기능을 가진 중요한 분자인데요. 우리 몸에서 생성되어 여러 생리작용에 관여하고 있습니다. 앞에서 설명한 혈관 확장에 중요한 역할을 하는 것 외에도 신경 전달 물질과 면역 반응에서도 중요한 기능을 합니다.
NO(산화질소)에 대한 연구는 비교적 최근인 1980년대에 시작되었습니다.

여러 연구자들에 의해 신경과학, 생리학, 면역학 분야에서 중요성을 인정받아 1992년, "올해의 분자"로 선정되었고요. 그러다가 1998년, NO(산화질소)의 생리학적 역할을 발견한 연구가 노벨상을 수상했습니다. 그만큼이나 획기적인 발견이었던 거죠!

연구자 로버트 F. 피치고트 Robert F. Furchgott,

루이스 J. 이그나로 Louis J. Ignarro,

그리고 페리드 뮤라드 Ferid Murad 박사가

생리학 및 의학 부문에서 노벨상을 받았는데요,

[사진: Zé Carlos Barretta, CC BY 2.0, 출처: 위키미디어 공용]

이 연구를 통해 산화질소가 혈관의 이완을 유도하는 역할을 한다는 것을 밝혀낸 것입니다.

이 연구는 심혈관계 질환 연구에 큰 전환점을 가져왔습니다. 심근경색, 뇌졸중 같은 혈관질환 개선에 NO(산화질소)가 효과를 보인다는 것이 확인되면서 새로운 치료법이 개발된 것입니다.
또한 NO(산화질소)에 대한 추가적인 연구도 계속 이어지게 되었는데요. 길지 않은 시간, 전 세계에서 발표된 논문이 무려 20만 편이 넘습니다. 이는 전 인류가 산화질소에 대해 지대한 관심을 가지고 있으며 혈관 건강에서의 그 중요성을 잘 나타내는 지표입니다.

그리고,
이 책을 쓰고 있는 저 또한 산화질소의 매력에 빠져 연구에 매진하고 있는 연구자 중 한 사람입니다.

NO(산화질소)의 경이로운 세계

NO(산화질소)의 세계는 알면 알수록 그 역할과 중요성이 무궁무진하게 드러나고 있는데요,

무엇보다 혈관에 미치는 대단한 영향을 살펴보면, 'NO의 힘'을 높이는 것이 바로 혈관의 힘을 강화하는 길이라는 것을 알 수 있습니다.
혈관 건강의 파트너로서 어떤 점이 놀라운지 정리해 보겠습니다.

(1) 혈관 확장과 이완

　NO(산화질소)는 혈관 평활근을 이완시켜 혈관을 확장합니다. 이로 인해 혈류가 증가하고 혈압이 감소하여 심장에 가는 부담을 줄여주는 거죠.
　한마디로 혈압을 안정시킨다는 뜻입니다.

(2) 혈액 순환 촉진

　NO(산화질소)는 혈액의 흐름을 개선해 산소와 영양소가 조직에 더 잘 전달되도록 도와주는데요.
　결론적으로 혈류가 좋아지면서
　동맥경화증의 예방에도 도움이 됩니다.

(3) 항산화 작용

　NO(산화질소)는 활성산소를 제거하는 데 도움을 주어 산화 스트레스를 줄이고, 혈관 내피세포의 건강을 유지하는데요, 이는 혈관질환의 위험을 감소시킵니다.

(4) 혈관 보호

산화질소가 혈소판의 응집을 억제하여 흔히, 피떡이라고 하는 혈전 형성을 방지합니다. 혈전으로 인한 혈관 막힘을 제거하는데요,
또한 혹이나 염증으로 인한 손상을 완화하고 상처의 회복을 돕습니다.

NO(산화질소)의 역할

NO(산화질소), 우리 몸의 만능해결사

이것만으로도 놀랍겠지만, 끝이 아닙니다.
NO(산화질소)가 우리 몸에서 수행하는
또 다른 생리적 기능들이 있습니다.

- 신경전달

  NO는 신경세포 간의 신호 전달에 관여합니다. 특히, 신경계에서의 역할이 두드러져 기억 형성과 학습 과정에 필수적입니다. nNOS는 신경세포에서 생성되어 시냅스에서 신호를 전달하는 데 도움을 줍니다.

- 면역 반응

  면역세포에서 생성되는 iNOS는 병원체에 대한 방어에 중요한 역할을 하는데요.
  항균 작용을 통해 세균 및 바이러스에 대항해 면역 반응을 조절하는 역할을 하는 거죠.

- 세포 생존 및 성장

  세포 생리적 기능에 영향을 미치며, 세포의 생존과 성장에 중요한 역할을 합니다.
  세포 신호 전달 경로를 통해 세포의 대사와 기능을 조절합니다.

- 성기능 개선

  혈관 확장을 통한 성기능을 개선하는데요.
  NO(산화질소)가 생식기의 혈관을 확장함으로써 성기능을 개선하는 데에도 큰 역할을 하는 것이 검증됐습니다.

- 호흡 조절

폐의 혈관을 이완시켜 산소 공급을 개선합니다. 이는 폐의 기능을 향상시키고, 호흡기 질환 치료에 도움을 줄 수 있습니다.

- 대사 조절

인슐린 분비를 촉진하고, 혈당 조절에 관여합니다. 이는 대사 증후군 및 당뇨병과 관련된 연구에서 중요한 요소로 작용할 수 있습니다.

어떠세요? 이쯤 되면 만능이라고 볼 수 있죠?
혈관 건강, 신경 기능, 면역 반응 등 우리 몸에서 다양한 생리적 과정에서 핵심적인 역할을 하고 있습니다.

요컨대 우리 몸의 전반적인 건강을
유지하는 데 필수적이라는 뜻이죠.

NO(산화질소)가 인체에 끼치는 영향

심혈관계
혈관이완
적혈구 생성
심근 수축
모세혈관 투과성

호흡계
기관지 확장
산소 유용성

세포확산
세포 소멸
혈관 형성

성기능 향상
남성 성기능
여성 성기능

말초신경계
신경안정작용

중추신경계
학습/암기
통증감각
신경보조
중앙 혈압 조절

소화계
장 운동성 향상
영양분 흡수

면역계
면역력
일반적 면역 능력

NO(산화질소), 남녀의 성기능에 희소식을 전하다

또 한 가지 희소식은 산화질소가 남성과 여성의 성기능에 중요한 역할을 한다는 겁니다. 산화질소는 혈관을 확장시키고 혈류를 증가시켜 성기능을 향상시키는 데 큰 역할을 하는데요.

(1) 남성의 성기능에 미치는 영향
 - 발기 촉진
 산화질소는 남성의 성기 혈관을 확장시켜 발기를 촉진합니다. 이는 비아그라와 같은 성기능 강화제의 작용 원리와 관련이 있습니다.

- 혈관 이완

산화질소는 신경전달물질로서 혈관을 이완시키는 역할을 하며, 이는 발기부전 치료에 효과적입니다.

- 혈류 증가

산화질소의 생성이 증가하면 혈관 기능이 향상되어 성기능에 긍정적인 영향을 미칩니다.

(2) 여성의 성기능에 미치는 영향

-혈류 증가

여성의 경우에도 산화질소는 혈관을 확장시켜 성기 부위로의 혈류를 증가시킵니다.

이는 성적 흥분과 관련된 반응을 촉진할 수 있습니다.

- 성적 반응 향상

산화질소는 여성의 성적 반응을 향상시키는 데 도움이 되고요, 이는 성적 쾌감과도 관련이 있다는 연구가 있습니다.

산화질소가 우리 몸의 전반에 영향을 미치다 보니 남성과 여성 모두의 성기능에 긍정적인 영향을 미치는데요. 성기능 장애를 예방할 뿐 아니라 개선하는데 중요한 역할을 한다는 거죠.

어떠세요, 산화질소의 중요성을 인식하고, 이를 통해 성기능을 향상시키는 방법을 모색하는 연구가 활발한 이유를 아시겠죠?

앞으로 우리 곁에서 활약할
NO(산화질소)의 역할을 기대해 보자고요~

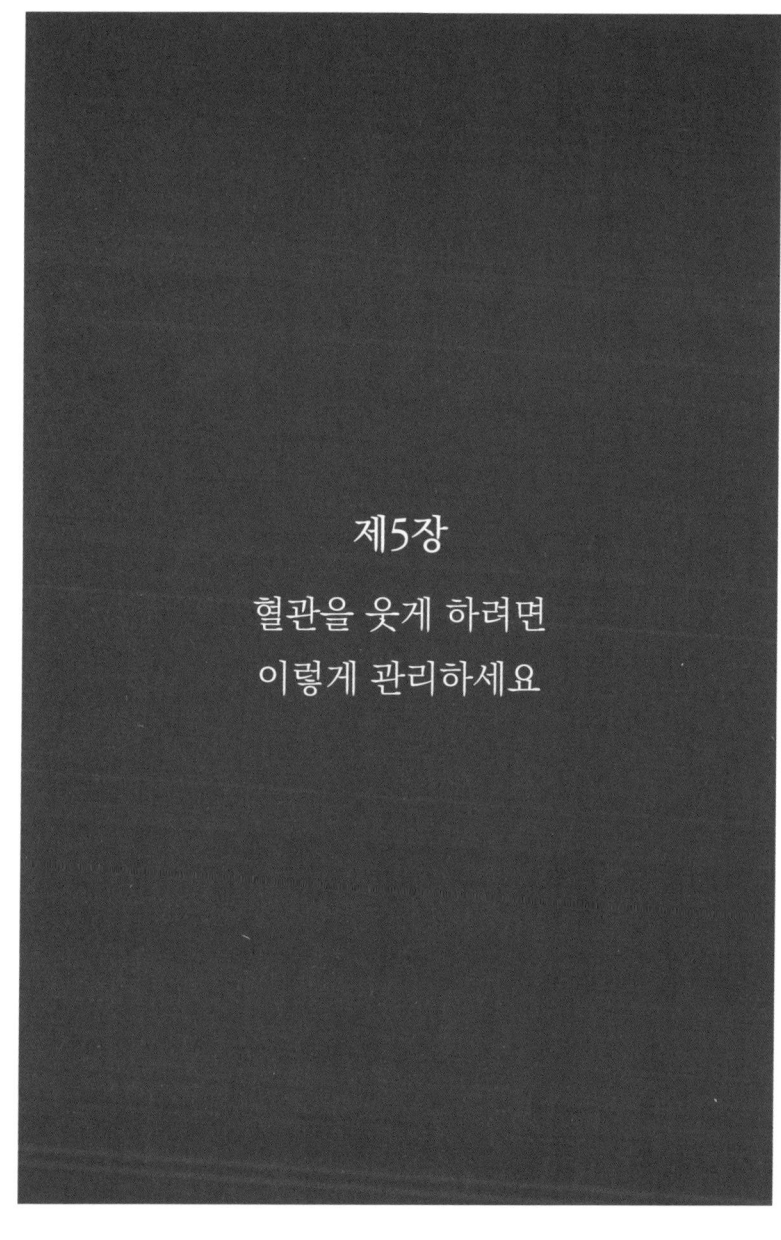

이렇게 먹으면 내 혈관 기름때 싹-

무엇보다 평상시에
건강한 혈관을
지키는 것이 중요합니다.

특히 당뇨, 고혈압, 콜레스테롤, 고지혈증과 같은 질환이 있다면 혈관질환 가능성이 커지기 때문에 평소 올바른 생활 습관을 갖는 것이 중요하다는 겁니다. 건강한 혈관을 유지하고 혈관질환을 예방하는 핵심에는 먹는 음식을 빼놓을 수 없는데요.

혈관 건강에 좋은 음식과 피해야 할 음식,
한번 알아볼까요?
혈관 건강에 좋은 음식으로 혈관을 튼튼하게 유지하려면 항산화 성분, 오메가-3 지방산, 불포화 지방산 등이 풍부한 음식을 섭취하는 것이 중요합니다.

1. 베리류

블루베리, 라즈베리, 딸기 등에는 안토시아닌이라는 강력한 항산화 물질이 있어 혈관 벽을 보호하고 염증을 줄입니다.

2. 등 푸른 생선

연어, 고등어, 청어 같은 생선은 오메가-3 지방산이 풍부해 나쁜 콜레스테롤인 LDL을 낮추고 염증을 줄이는 데 효과적입니다. 고혈압 초기 증상이 있을 때 의사들이 고등어를 자주 드시라고 하는 데에는 이런 이유가 있는 거죠.

3. 올리브오일

지중해식 식단의 핵심인 올리브오일은 불포화 지방산이 풍부한데요. 이는 나쁜 콜레스테롤인 LDL을 줄이고 좋은 콜레스테롤인 HDL을 늘리는 데에 도움을 줍니다.

4. 다크초콜릿

카카오 함량이 70% 이상의 다크초콜릿은 플라보노이드가 풍부해 혈관 확장을 돕고 혈압을 낮추는 데 도움을 줍니다. 설탕 함량이 낮은 제품을 선택하는 것이 포인트!

5. 견과류

아몬드, 호두, 캐슈넛 등 비타민E 마그네슘 불포화 지방산을 함유해 혈관 탄력을 유지하고 동맥경화를 예방합니다. 섭취량은 하루 한 줌, 약 30g 정도가 적당합니다. 과도하게 섭취하면 칼로리 과잉으로 이어질 수 있으니까요.

6. 통곡물

귀리, 현미, 보리 등은 식이섬유가 풍부해 콜레스테롤 수치를 낮추고 혈당을 안정적으로 유지하는 데 도움을 줍니다. 아침 식사를 귀리로 오트밀을 만들어 먹거나 현미밥으로 대체하면 좋겠죠?

나쁜 음식을 피하는 게 더 중요

혈관 건강에 해로운 음식,
혈관 건강을 위협하는 음식은 주로 나트륨, 트랜스지방, 정제 탄수화물이 많이 함유된 음식입니다.

1. 흰 빵과 정제 탄수화물

   흰 빵, 케이크 과자 등은 섬유질이 적고 혈당을 빠르게 올리는데요. 혈당 변동이 클수록 혈관 손상이 심해질 수 있습니다.

2. 가공육

소시지 베이컨 햄 등 가공육은 나트륨과 방부제가 다량 포함되어 있어 혈압을 상승시키고 혈관 손상을 유발합니다.

3. 튀긴 음식

치킨 감자튀김 등 튀긴 음식에는 트랜스 지방과 포화지방이 많아 혈관에 찌꺼기를 쌓이게 합니다. 굽거나 찌는 요리법을 추천합니다.

4. 설탕이 많은 음료

탄산음료나 설탕이 함유된 음료는 혈압을 급격히 상승시키고 혈관의 염증을 유발할 수 있습니다.

5. 과도한 알코올

음주는 혈압을 높이고 혈관의 탄력을 잃게 만듭니다. 따라서 하루 적정 음주량을 지키는 것이 중요합니다.

Part 1.5
림프미인

우리 몸 속에는 물이 흐른다

잠깐!
Part 2로 넘어가기 전에 Part 1.5가 있는데요,
혈관 이야기를 하면서 빼놓을 수 없는
부분이 있기 때문입니다.

우리 몸의 물, 체액에 관한 이야기입니다. 우리 몸의 체액은 일반적으로 전체 몸무게의 약 50 ~ 60%를 차지합니다. 우리가 어린 나무나 어린 아이에게 '물 올랐다'는 표현을 쓰잖아요? 이 물이 우리 몸의 체액을

의미합니다. 나무에 물이 충분하면 싱싱하고 탄력이 있어 부러지지 않죠. 아이들도 마찬가지입니다. 어린 아이일수록 공처럼 탱탱하고 탄력 있는 피부에 온몸이 유연하고, 다쳐도 금방 회복합니다. 하지만 나이가 들면서 근육이 뻣뻣해지고 고목처럼 탄력을 잃기 시작합니다. 이는 곧 물이 부족하다는 뜻입니다.

우리 몸속에 흐르고 있는 물에는 먼저 말씀드린 혈액과 림프, 그리고 간질액 등이 있습니다.

그중 간질액은 우리 몸의 세포와 세포 사이에 위치한 액체로, 세포 외액의 일종입니다. 이 액체는 주로 물, 전해질, 단백질 등으로 구성되어 있는데요, 쉽게 말해, 세포들이 서로 대화하고 필요한 것을 주고받을 수 있도록 도와주는 "매개체"라고 할 수 있습니다.

세포의 환경을 조절하고 세포 간의 물질 교환을 원활하게 하는 데 중요한 역할을 하는 거죠.

영양 공급, 노폐물 제거, 신호 전달 및 체액 균형 유지 등 다양한 역할을 수행합니다.

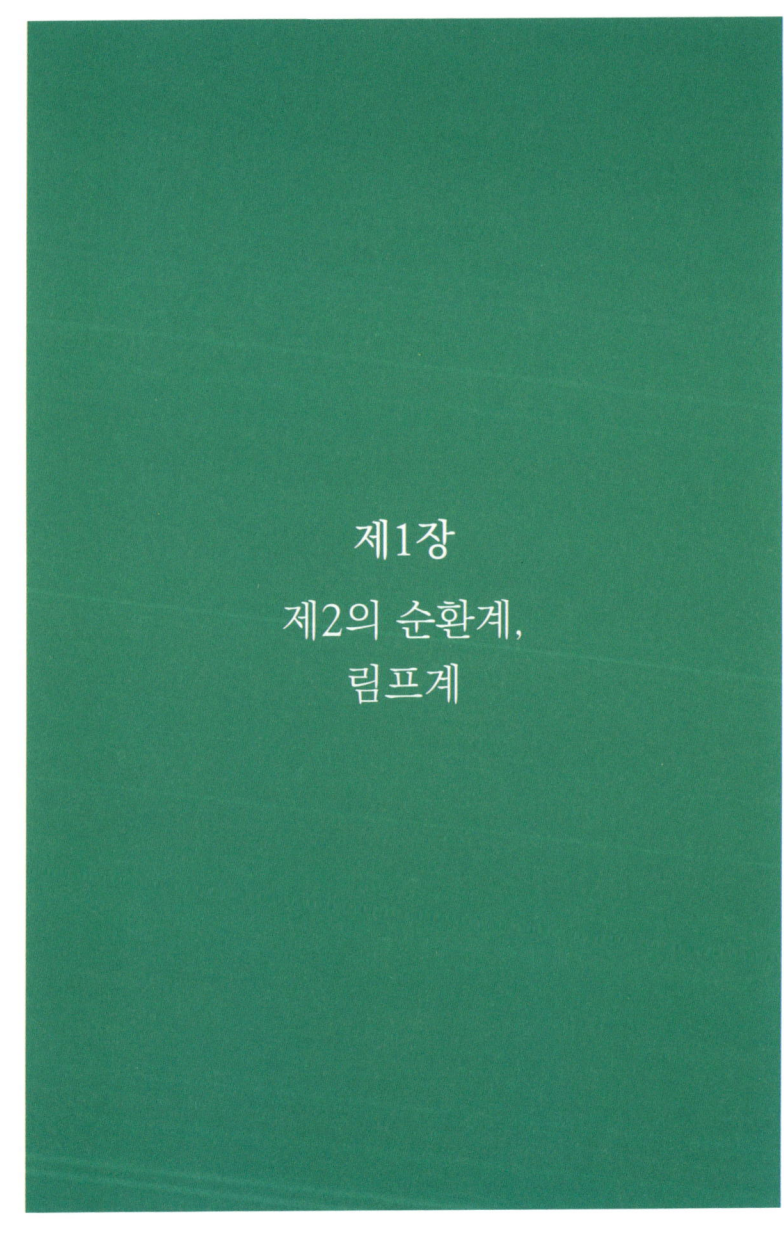

림프계,
우리 몸의 하수 처리를 담당하다

그리고, Part.1에서 다룬 혈관과 혈액처럼 우리 몸을 구석구석 순환하는 또 다른 물, 림프가 있습니다.

혈관을 상수도라고 하면 림프관은 하수도라고 할 수 있는데요. '상수도와 하수도'. 왜 혈액과 혈관 이야기를 하면서 림프와 림프관 이야기를 함께 할 수밖에 없는지 그 이유를 아시겠죠?

그래서 림프에 대해
좀 더 자세히 이야기를 하겠습니다.

림프 순환계는 혈액 순환계와 함께 우리 몸의 대표적인 순환계입니다. 림프는 한자를 써서 임파라고도 부르는데요. 림프관을 따라 림프가 흐르며 순환하는 림프 순환계는 우리 몸속 노폐물 배출을 돕습니다.

앞서 동맥은 심장이 밀어주는 압력이 높고, 심장으로 돌아가는 정맥은 상대적으로 압력이 약하다고 했었죠? 그러다 보니 정맥이 오롯이 노폐물 배출을 감당할 수 없어 림프계가 상당 부분을 담당하는 겁니다.
혈액은 심장의 펌프질로 힘차게 움직이는 반면, 림프액은 근육의 움직임과 호흡에 따라 움직이는데요.
그 말은 운동으로 근육을 활발하게 움직이며 호흡하는 만큼 림프계 순환도 활성화된다는 뜻입니다.

우리가 생명을 유지하는 동안
몇 개나 되는 세포를 가동할까요?

무려 100조 개에 달합니다.
그 많은 세포가 탄생하고 소멸하면서 엄청난 양의 노폐물이 배출되는데요. 이 몸속 쓰레기가 제대로 처리되어 배출되지 못한다고 생각해 보세요.
분명히 탈이 나겠죠? 그런 쓰레기 처리 담당이 우리 몸 안에 촘촘하게 연결된 림프관입니다.

덕분에 우리가 건강을 유지할 수 있다는 거고요.
우리가 살면서 상수도만큼 중요한 게 하수도라는 거,
두말하면 잔소리죠?

림프계 구성

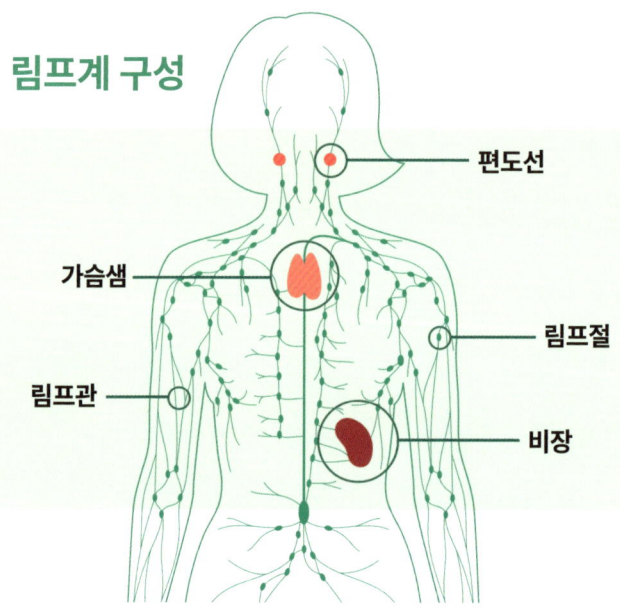

림프계는 림프구의 생성과 순환을 담당하는 모든 기관을 통칭하는 말인데요.
림프액과 림프관, 림프절, 그리고 골수, 비장, 편도선까지 모두 포함됩니다.

1. 림프, 림프액

   상처가 나거나 화상을 입게 되면 혈액과 함께 투명하거나 연한 노란색의 진물이 나오죠?

이것이 림프, 또는 림프액입니다.

혈액보다 단백질 성분은 적고 지방 성분은 많은 체액이라 볼 수 있는데요. 주로 덩어리나 단백질 찌꺼기를 운반해서 최종적으로 심장으로 돌아가는 정맥에 이 노폐물을 전달합니다. 피부로 도드라져 보이는 정맥이 파랗게 보이는 이유는 산소를 잃고 이산화탄소 등의 노폐물이 많아서입니다.

또, 림프 속에는 림프구라고 하는 우리 몸의 방어물질이 있습니다. 림프구는 백혈구의 하나로 골수와 림프 조직에서 만드는 둥근 세포인데요. T림프구와 B림프구로 나뉘며 면역 반응에 직접적으로 작용하고 있습니다.

2. 림프관

림프관은 림프가 이동하는 통로로 투명한 관입니다. 림프관은 모세 혈관보다 투과성이 더 높아 항원과 세포를 포함한 거대분자를 쉽게 흡수하는데요. 림프관은 중간중간 림프절과 연결되어 있습니다.

림프관의 흐름은 말초에서 가슴 쪽으로 향하는데요. 동맥과 정맥이 양방향으로 흐르는 것과는 달리 림프관의 내부에는 판막이 있어 한 방향으로만 흐른다는 차이가 있습니다. 림프관의 벽은 내피세포와 평활근, 고유막의 3층으로 구성된 얇은 막으로 이루어져 있습니다.

3. 림프절

림프절은 림프관 중간중간에 있는 결절 모양의 주머니인데요. 보통 2.5cm 이내의 아주 작은 강낭콩처럼 생겼습니다. 림프절은 우리 몸속에 약 500개에서 600개 정도 존재하고 있는데요. 특히 서혜부, 겨드랑이 그리고 목 부분과 귀의 뒤쪽에 많이 모여 있습니다. 림프관을 따라 돌던 림프가 림프절에서 세균과 바이러스를 파괴하는데요. 림프 안의 면역세포인 림프구와 백혈구가 외부에서 침입한 세균과 바이러스와의 전쟁을 치르는 전쟁터인 거죠. 감기나 편도선염에 걸렸을 때 목이 붓는 이유가 바로 이 림프절에서 바이러스와 면역세포가 싸우기 때문입니다. 림프절의 바깥 부분은 피질이라 하는데 림프구가 모여 있는 곳이고요, 중심부인 수질에는 식균 작용을 하는 대식세포가 존재합니다.

4. 비장

비장은 우리 몸에서 가장 큰 림프 기관이라 할 수 있습니다. 노화된 적혈구를 제거하고 우리 몸에 있는 세균이나 항원 등을 걸러내는 역할을 하며 면역세포의 기능을 돕는데요. 또한 골수의 기능이 저하되었을 때 골수의 역할을 도와 혈액세포를 생성하기도 합니다. 우리 몸의 왼쪽 갈빗대가 끝나는 곳에 위치한 비장은 명치와 위의 뒤쪽, 등에 붙어 있는데요. 약 12cm 정도의 길이에 약 200g 정도의 무게로 편평하고 둥근 모양으로 얇은 피막에 쌓여 있습니다. 겉질, 적색 속질, 백색 속질, 동맥, 정맥으로 이루어져 있습니다.

5. 편도

편도는 목 안, 코 뒷부분에 위치한 기관인데요. 상피 림프조직에 속하는 림프는 림프구가 풍부하여 외부로부터 침입한 세균, 바이러스 등으로부터 일차적으로 우리 몸을 방어하는 면역 기능을 수행합니다. 편도의 종류는 인두편도, 귀인두편도, 목구멍편도, 혀편도로 나눌 수 있는데요. 어릴 때는 감기가 걸리면 편도부터 붓잖아요? 5세 전후까지 점점 커지다가 그 이후로는 작아집니다. 편도 내의 조직은 림프 조직으로 이루어져 있고 이를 편평 상피층으로 이루어진 점막이 덮고 있는 구조입니다.

항상성과 면역력

우리 몸이 갖고 있는
신비로운 능력이 한둘이 아니지만요,

그 중 가장 특별한 것 하나가 항상성이 아닐까 합니다. 항상성이란, 우리 몸이 외부 환경의 변화에도 불구하고 신체 내부 환경을 일정하게 유지하려는 능력을 말합니다.
예를 들어, 여름철에 밖이 매우 더울 때, 우리 몸이 땀을 흘리는 것은 체온을 낮추기 위한 겁니다.

반대로 겨울철에 추운 날씨에 혈관이 수축하는 것은 체온을 유지하려고 하는 거고요. 또 우리가 소변을 보고 나서 부르르 몸이 떨리는 걸 느낄 때가 있죠? 이는 소변으로 체내의 수분이 배출되면서 체온이 떨어지는 것을 몸을 떨어서 열을 발생시켜 체온을 올리려는 항상성 반응입니다.

이처럼 우리 몸이 외부 환경의 변화에 적절히 대응하며 항상성을 유지하도록 하는 데에는 체액의 역할이 큽니다. 그중에서도 림프의 역할인데요.
무엇보다 체내 노폐물과 독소 제거해 체내 환경을 깔끔하고 청결하게 유지한다는 것 자체가 림프계가 우리 몸의 환경을 잘 관리히고 일정하게 유지되도록 하는 거라고 볼 수 있습니다. 또 림프액을 통해 세포 사이를 오가며, 체내의 수분과 전해질 농도를 조절해 체액의 균형을 유지합니다.
예를 들어, 체내에 수분이 과도하게 축적되면 림프계

가 활성화되어 여분의 체액을 제거하고요, 반대로 수분이 부족할 경우 림프계는 체액을 보존하는 데 도움을 줍니다. 이러한 신체 조절력은 혈압, 체온, pH 등 다양한 생리적 변수를 일정하게 유지하는 데 필수적이라는 거죠.

이뿐만 아닙니다.

림프계는 면역 시스템의 핵심 구성 요소로, 림프액을 통해 면역세포와 항체를 운반하는데요. 림프절은 면역 세포가 모여 병원체를 인식하고 대응하는 장소로, 감염이나 염증이 발생했을 때 림프계가 활성화되는데요. 즉각적으로 면역 반응을 촉발해 응급구조의 주요 경로로 작용하는 겁니다. 이 과정에서 병원체를 제거하고, 염증 반응을 조절해 감염으로 인한 손상을 최소화하여 다시 건강한 상태로 되돌리기 위해 애씁니다. 또한 면역 기억을 통해 동일한 병원체에 다시 노출되었을 때 신속하게 반응하는데요.

한번 감기에 걸리고 나면 한동안은 걸리지 않는다는 게 이 때문입니다. 장기적인 건강 유지를 위한 중요한 역할이겠죠? 혈액 순환과 림프 순환은 인체의 두 가지 주요 순환 시스템으로, 각각의 기능과 구조에 차이가 있습니다.

혈액 순환과 림프 순환의 구조

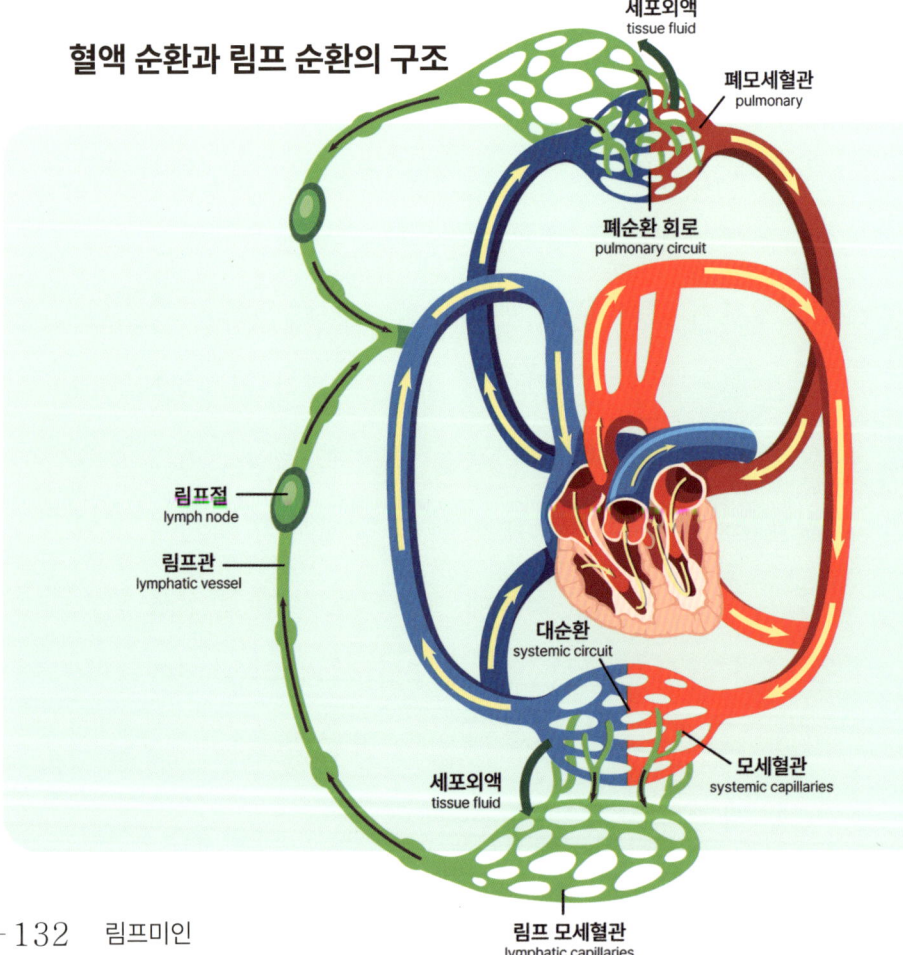

▶ 혈액 순환

- 구조

혈액 순환은 심장, 혈관(동맥, 정맥, 모세혈관)으로 구성

- 기능

혈액은 산소, 영양소, 호르몬 등을 신체의 세포에 운반하고, 이산화탄소와 노폐물을 제거

- 순환 경로

심장에서 시작하여 동맥을 통해 전신으로 퍼지고, 모세혈관에서 세포와의 물질 교환이 이루어진 후, 정맥을 통해 다시 심장으로 돌아옴

- 압력

혈액 순환은 심장의 펌프 작용으로 인해 높은 압력을 유지

▶ 림프 순환

- 구조
림프 순환은 림프관, 림프절, 림프액으로 구성
- 기능
림프 순환은 체내의 여분의 체액을 회수하고, 면역 기능을 지원하며, 지방과 지용성 비타민을 흡수
- 순환 경로
림프액은 조직에서 여분의 체액이 림프관으로 들어가고, 림프절을 거쳐 대정맥으로 돌아감.
림프 순환은 심장과 연결되지 않음.
- 압력
림프 순환은 혈액 순환보다 낮은 압력으로 작동하며, 주로 근육의 수축과 호흡에 의해 촉진

이러한 차이점들로 인해 혈액 순환과 림프 순환은 각각의 역할을 수행하며, 인체의 건강을 유지하는 데 중요한 역할을 수행합니다.

림프계의 질환과 증상

우리가 몸이 좋지 않으면 몸이 퉁퉁 붓잖아요?
왜 그럴까요?
그 이유가 바로 림프 기능이 약해졌기 때문입니다.

림프액이 제대로 순환되지 않아 정체되고 체내 노폐물이 쌓이면서 몸이 붓게 되고 피로감을 느끼게 되는 겁니다. 림프계가 제 기능을 하지 못하면 이처럼 우리 몸에서 여러 가지 문제가 발생하는데요. 또한 림프계의 기능 저하는 면역력 저하로 이어지면서 질병에도 쉽게 노출될 수 있습니다.

보이지 않는 쓰레기들이 쌓여 우리 몸이 오염됐다는 건 여러 가지 문제를 껴안고 있다는 말과도 같습니다. 이러한 림프계의 문제로 발생하는 질환에는 어떤 것이 있는지 알아보겠습니다.

1. 림프 부종

림프 부종은 림프 관련 가장 흔한 질환입니다. 주로 팔, 다리에 나타나는데요. 피부를 눌렀을 때 누른 부위가 원상태로 빨리 돌아오지 않으면 의심할 수 있습니다. 원인은 림프액의 흐름이 원활하지 않아 축적되어 발생하는 부종으로 부풀어 오르고 무거운 느낌이 들 수 있습니다. 이러한 림프 순환장애는 선천적으로 생길 수도 있지만 과도한 스트레스나 무리한 운동 심부전과 같은 순환기계 질환이나 암 수술 이후에 2차적으로 발생하기도 합니다. 림프 부종은 림프계의 기능이 저하되었다는 뜻으로 감염에 취약해질 수 있습니다.

2. 림프종

림프종은 림프계에 발생하는 악성 종양인데요. 비정상적인 림프구가 과도하게 증식하는 질환입니다. 체중 감소, 발열, 야간 발한, 그리고 비대해진 림프절이 목, 겨드랑이, 사타구니 등에서 느껴지는 증상이 나타날 수 있는데요. Reed-Sternberg 세포라는 특이한 세포가 발견되는 호지킨 림프종과 이외의 다른 여러 종류의 림프종을 모두 포함해 비호지킨 림프종으로 크게 유형을 나눌 수 있습니다.

3. 감염성 질환

림프계는 감염에 대한 방어 역할을 하므로, 감염이 발생하면 림프절이 부풀어 오르고 통증을 느낄 수 있습니다. 예를 들어, 바이러스나 세균 감염으로 인해 림프절이 염증을 일으킬 수 있는데요.
이때 체온이 올라 발열이 있을 수도 있습니다.
또 피로감, 오한, 식욕부진 등의 전신 증상이 동반될 수 있습니다.

4. 기타 림프계 질환

- 림프관염

림프관의 염증으로, 주로 세균 감염으로 발생합니다. 발열, 통증, 붉은 선이 나타나는 증상이 있습니다.

- 림프절염

림프절의 염증으로, 감염이나 면역 반응으로 발생합니다. 부풀어 오른 림프절, 통증, 발열 증상으로 나타납니다.

림프 순환에 문제가 있을 경우,
적절한 진단과 치료가 필요합니다.

두드려라 그러면 풀릴 것이다

언제부턴가 겨드랑이를 쳐라! 라는 말을 많이 합니다. 왤까요? 몸이 찌뿌둥하다가도 겨드랑이 팡팡 쳐주면 시원해졌던 경험들 있으실 거예요.

앞서 설명한 대로 겨드랑이에는 림프절이 많기 때문입니다. 부드럽게 주먹을 쥐고 반대쪽 겨드랑이를 팡팡 치거나 마사지하는 게 림프절을 자극해 림프 순환에 많은 도움이 됩니다. 겨드랑이뿐 아니라, 서혜부, 목, 겨드랑이, 쇄골, 복부, 무릎 뒤에도 림프절이 많이 분포된 곳인데요.

긴장을 푼 상태에서 손끝 또는 손바닥을 이용해 몸의 중심 방향으로 림프액이 이동할 수 있도록 천천히 쓸어 올리거나 내리는 듯이 원을 그리며 마사지하는 것이 좋습니다. 이런 자극을 통해 림프 기능을 강화시켜 주는 거죠. 나이가 들수록 신경 쓰이는 것 중에 하나가 체취입니다. 체취도 림프절과 연관이 많은데요. 노인 냄새라는 말, 들어 보셨죠? 노화가 진행되면 림프절이 약해지고, 림프액의 흐름도 원활하지 않게 됩니다. 이로 인해 체내의 노폐물과 독소가 축적되며, 이러한 축적이 체취에 영향을 미치는 겁니다.

또 식습관이나 운동 부족 등으로 인해 체내에 독소가 쌓이기 쉽습니다. 오래되거나 산패된 음식에서는 독소가 나와서 끓여도 없어지지 않고 몸으로 들어가 쓰레기 산처럼 축적되는데요. 이 독소가 림프계를 통해 제대로 배출되지 않으면 체취까지 이상해질 수 있습니다. 우스갯소리로 아끼다가 똥 된다는 말이 있죠?

바로 그 말입니다. 아무리 귀하고 좋은 음식도 아끼다가 상해서 몸속으로 들어가면 독이 된다는 겁니다. 또 독소가 축적되면 땀샘의 분비물에 영향을 주어, 일반적인 땀 냄새와는 다른 불쾌한 냄새가 발생할 수도 있습니다. 이런 경우, NO(산화질소)가 혈관 확장이나 림프 순환에 도움을 주는 것으로 개선시킬 수 있다는 연구 결과도 있습니다. 주의할 것은 너무 세게 누르지 않고 5-10회 반복하고 10-15분 정도 마사지하는 것이 효과적인데요. 감염이나 염증, 피부 상처 또는 열이 있는 경우에는 해당 부위는 피하는 게 좋습니다. 무엇보다 건강한 식습관과 적절한 림프 마사지를 통해 체내 독소를 효과적으로 제거하고, 몸의 균형을 유지하는 것이 중요한데요.

림프 순환은 단순히 한 부위나 한 가지 기능에 국한되지 않고, 우리 몸의 전반적인 건강 상태와 직결된 핵심적이고 생리적인 과정인 것을 꼭 기억해 주시고요!

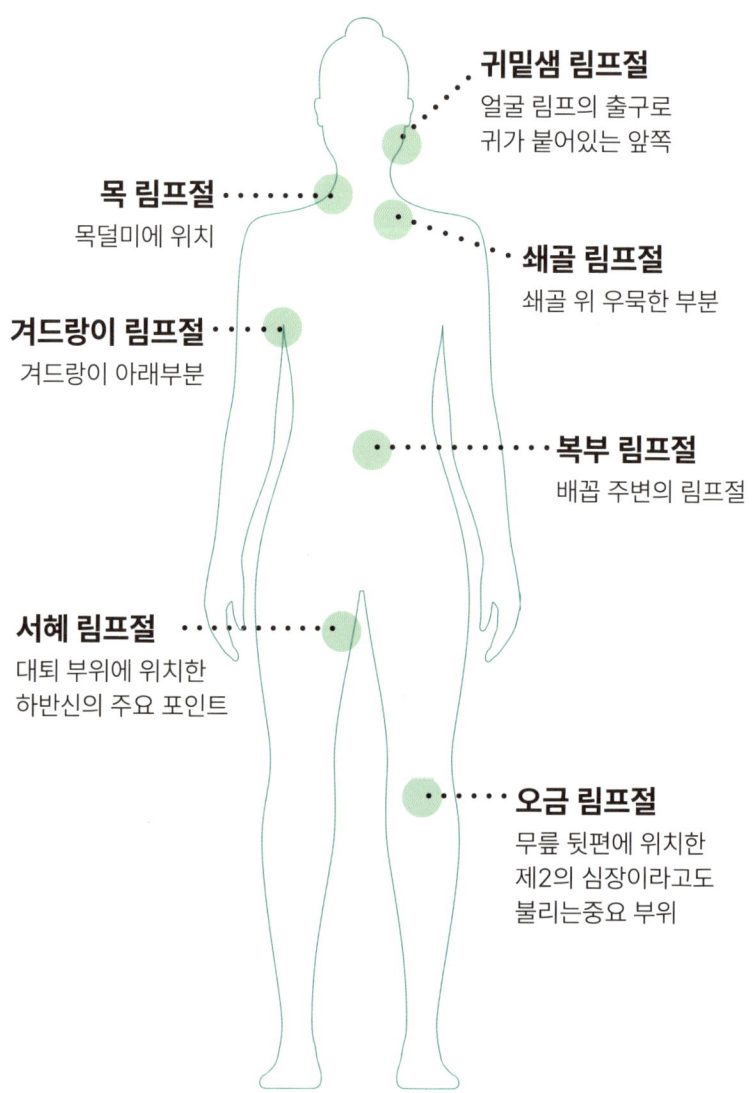

혈관&림프를 위한 10계명

1. 햇빛 보면서 산책하기

2. 규칙적으로 천천히 식사하기

3. 체온 유지 잘 하기

4. 발뒤꿈치 들고 생활하기

5. 스트레스 관리하기

6. 충분한 수분 섭취하기

7. 균형 잡힌 영양소 섭취하기

8. 충분히 수면하기

9. 정기 검진하고 적극적으로 치료하기

10. 몸에 잘 맞는 속옷 입고 바른 자세 취하기

Postface From Special Guest

건강을 유지하면서 오래 사는 건강 장수의 중요성을 다루는 다양한 정보와 책자가 최근 들어 세간의 더욱 많은 관심을 끌고 있습니다. 사실 사람이 외모가 아름다운 것 이상으로 보이지 않는 내적 아름다움을 갖추는 것이 더 가치가 있다는 입장도 많은데, 건강한 생활과 관련하여 '혈관 미인'을 제명으로 하는 본 책자는 이러한 점을 함축하여 잘 보여주고 있다고 봅니다. 특히 '혈관과 림프를 위한 10계명' 등 주요 실천 사항을 기억하기 쉽게 제공해주고 있습니다. 평소에도 유쾌하고 명확하게 감염병 분야 전문지식을 전달하는 데 있어 탁월성을 보여주시는 장경수 교수님께서 혈관계 건강과 관련하여 생애주기에서 노화에 중요한 세 번의 변곡점, 산화질소의 생리학적 중요성 등 전문 정보를 일반인이 쉽게 이해하고 적용할 수 있도록 해주는 간결한 설명과 예시가 눈길을 끕니다.

이 책이 우리 모두의 건강한 삶에 대한 유익한 지식과 동기를 강화해 주는 좋은 계기가 될 수 있기를 기대합니다.

전 질병관리청 센터장,
현 범부처 방역연계 감염병연구개발 재단 대표
성 원 근

Part 2
자세미인

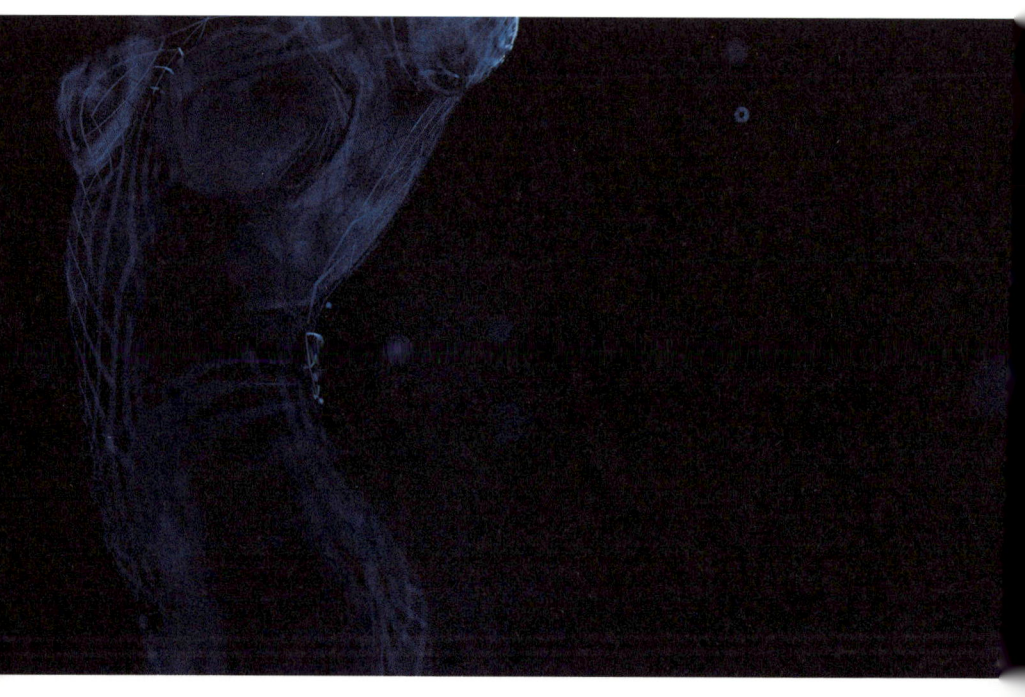

자세미인은 늙지 않는다.

"
ettim 없었으면 내 생애 무슨 일이 있었을까.
eono 안 만났으면 내 인생 2막, 어떻게 살았을까.
"

박명복 속옷 디자이너

ettim이라는 운명의 여정, 대한민국 최초의 기능성 보정 속옷 디자이너

남들이 가지 않은 이 길을 가기 위해
어린 두 아이를 친정엄마에게 맡기고
이탈리아 유학길에 올랐습니다.

그리고 기능성 보정 속옷의 장인을 찾아
다시 일본으로 떠났던 지난날이 마치 엊그제처럼
생생하게 떠오릅니다.

질풍노도의 열정으로 가득했던 시간,
그것은 모두 속옷, 특히 기능성 보정 속옷에 대한
깊은 열망의 시간이었습니다.

"배움의 순간이 끝나는 순간 우리의 삶도 끝난다"는 말이 있죠.
참으로 끝도 없이 배울 것들이 펼쳐졌습니다.
사람마다 신체 특징은 달랐고, 트렌드는 시시각각 바뀌었으며, 원단과 컬러의 취향도 라이프스타일에 따라 변해왔습니다. 한길로만 살아오다 보니 남보다 먼저 가기 위해 온몸을 던지며 오로지 디자인에 몰두했고, 원단 찾아 삼만리를 헤매기도 했습니다.
어려운 도전과 위기는 수시로 찾아와 저를 시험대에 올려놓았습니다.
위기의 다른 이름이 기회라고 했던가요?
절호의 기회가 찾아온 것은 바로 추락할 때였습니다.
IMF로 인해 속옷 사업이 부도 위기를 맞고,

찜질방으로 도망치다시피 했던 그 시절, 그런데 절망 속에서도 저는 줄자를 손에서 놓지 못했습니다.

"저 여자는 왜 저런 속옷을 입었지?
내가 치수를 재서 속옷을 제대로 만들어 주면 좋겠다."
이런 생각이 드는 순간,
저절로 다가가서 몸을 석고로 뜨게 해달라고 부탁하고 있는 제 모습을 만나곤 했어요.
석고로 신체 본을 뜨면 몸의 굴곡과 볼륨, 비대칭을 정확하게 알 수 있고 일반적인 체형 사이즈 분류보다 입는 사람과 가장 가까운 핏의 디자인을 만들 수 있습니다. 줄자 하나를 들고, 만나는 분마다 신체 치수를 재고 석고로 몸의 모형 본을 떠가며 거의 매일 찜질방에서 생활하다시피 했습니다.
오랜 시간 석고를 만지니 손바닥은 쩍쩍 갈라지고 몸에는 습진이 생겨 힘든 상황이었지만, 그 속에서 저는 진정한 행복을 느낄 수 있었습니다.

정말 여성들에게 필요한 것을 만들고 있다는 생각에 이전에는 느끼지 못한 사명감까지 생겼습니다.

손으로 재는 줄자와 석고 모형이 컴퓨터를 이용해 디자인하는 캐드(CAD) 보다 정확하지 않을 거라고 이야기하는 분들도 더러 계실 거예요.

그러나 캐드(CAD)조차 잡아내지 못하는 엉덩이와 가슴 라인, 또 살집까지 심지어 그분들과 나눈 인생의 아픔까지 다 재고 어루만질 수 있었습니다.

그것이 지금까지 제가 버텨오는 감각이고 안목이라고 할 수 있죠. 이런 치열한 시간 속에서 선물처럼, 한국 여성의 체형에 맞는 기능성 보정 속옷 'ettim'의 탄생은 이루어졌습니다.

ettim은 한국 여성의 체형에 맞춘
기능성 보정 속옷으로,
독창적인 디자인과 최적의 기능성은
그 누구도 따라올 수 없다고 자부합니다.

2000년대에 들어서면서부터는 등을 더욱 잘 감싸는 입체 패턴의 바디슈트를 선보였습니다. 허리와 엉덩이를 분리해 움직임이 편안하도록 설계했으며, 골반 중심으로 디자인하여 바른 자세 유지를 도와줍니다.
하지만 여기서 끝이 아닙니다. 특별한 점 하나 더!
바로 넓은 어깨끈입니다.
그동안 얇거나 가는 어깨끈 때문에 가슴과의 조화를 이루지 못해 불편함을 느끼는 여성들이 많았는데요. ettim은 이러한 불편을 해소하면서 동시에 여성들이 최적의 편안함과 기능성을 느낄 수 있는 바디슈트를 만들어 냈습니다. 어깨끈 하나로 편안함을 극대화하여 여성 속옷 패션의 아이콘이 된 거죠.

여성의 몸에서 영감을 얻고
여성의 속옷이 '제2의 피부'라는 신념으로
도전을 멈출 수 없었습니다.

인생 2막,
eono와의 만남

곧이어 ettim 디자인의 상징인
앞 중심 지퍼의 탄생!

바디슈트와 브래지어의 지퍼는 가슴이 처지는 것을 방지하고 가슴을 효과적으로 받쳐 주고 모아 올리는 역할을 합니다.

그리고 ettim만의 또 다른 자부심인 특허 기술의
다기능 은(銀) 지압구!
은(銀)은 오랜 역사 동안 인류와 함께 해온 소재로, 단순한 장신구 이상의 건강 효능을 지니고 있는데요.

건강에 도움을 주는 은(銀)을 기능성 보정 속옷에 부착해 체온 유지에 도움을 주고, 활력을 더하며, 기능성 보정 속옷을 입을수록 건강해질 수 있도록 했습니다. 바로 이것이 ettim이 건강 속옷의 대명사로 불리는 이유입니다.

속옷은 제2의 피부입니다.
몸에 맞게 제대로 입으면 거울을 보며
마음에 들지 않는 자기 모습을 보는 일이 줄어들지 않을까요? 시대가 바뀌면서 사람들은 단순히 건강하게 사는 것을 넘어 더 건강하고 더 젊게 살고 싶어 합니다. 그렇다면 제2의 피부인 속옷도 더 과학적으로 입어야 하지 않을까요? 그래서 더 도약하기로 했습니다. 새로운 혁신의 기능성 보정 속옷을 만들기 위해 평소 존경하던 부산가톨릭대학교의 장경수 교수님과 함께 체내 NO(산화질소) 생성을 돕는 신물질 개발을 위해 쉴 새 없이 연구에 매달렸습니다.

저속 노화 시대!

NO(산화질소)의 원리를 응용하여 ettim과 접목하는 데 초점을 맞추고 노화의 속도를 결정짓는 '혁신'의 NEO eono의 위대한 여정을 시작한 겁니다.
"내가 생각하는 것이 내 인생이 되고, 내가 말하는 것이 내 운명이 된다." 라는 말처럼, 돌이켜보면 인생의 좌절과 위기 속에서도 나의 삶을 굳건히 지켜준 것은 바로 내가 만든 기능성 보정 속옷이었습니다.
바른 자세를 돕는 ettim으로 대한민국의 대표 기능성 보정 속옷 시대를 열었고, 입는 것으로 노화의 속도를 조절하는 eono로 세계 기능성 보정 속옷 무대의 중심이 될 것이라고 감히 단언합니다.

곱게 늙으셨네요?

"곱게 늙으셨네요."

이런 말을 듣게 된다면, 어떤 기분이 들까요?
마냥 좋을까요?
아마 '곱다'는 말보다 '늙으셨다'는 표현이 콕 박히진 않을까요? "그냥 '고우시네요!'라고 하면 될 텐데, 늙었다는 말은 빼고!"라는 생각이 어쩌면 솔직한 심정일 거예요. 세월 가고 나이 드는 거야 다 아는데,
굳이 남이 들추길 바라진 않잖아요.
욕심이라면 욕심이고,

그 욕심은 끝이 없기 마련이니까요. 초고령 사회에 진입한 우리나라에서 과연 노인은 몇 살부터라고 생각하세요? 요즘엔 건강하신 노인분들이 많아지면서 '젊은 노인'이라는 말도 있던데요. 의학의 발전 덕분에 노화 속도가 느려지고, 영양과 위생, 다양한 정보들이 장수와 건강에 큰 영향을 미치고 있습니다.

특히 60대부터는 겉모습으로 나이를 판단하기가 더욱 어려워졌는데요, 같은 60대인데도 어떤 분은 40대처럼 보여서 꽃중년이라고 불리고 어떤 분은 심지어 80대로 보이는 경우도 있죠. 이는 60대부터 노화의 속도가 사람마다 눈에 띄게 달라지기 때문입니다.

장경수 교수님께서 말씀하신 NO(산화질소)의 체내 생성은 30대부터 지속적으로 감소하기 시작하여 60대부터는 체내 결핍이 발생할 수도 있는데요.

주목할 것은 이 NO(산화질소)를 어떻게 관리하느냐에 따라 저마다 노화의 속도가 달라진다는 연구결과입니다. 앞에 '혈관미인' 제 4장 노화 방지의 열쇠, NO(산화질소)를 다시 한번 읽어보신다면 기억나실 거예요.

그렇다면, 우리는 천천히 나이 들면서 안 아프고 오래 살기 위해 어떤 노력을 해야 할까요?

속옷만 바꾸었는데!
자세만 바꾸었는데!
외모가 달라지고 인생이 달라지는 경험을 통해
그 해답을 여러분께 제시하려고 합니다.

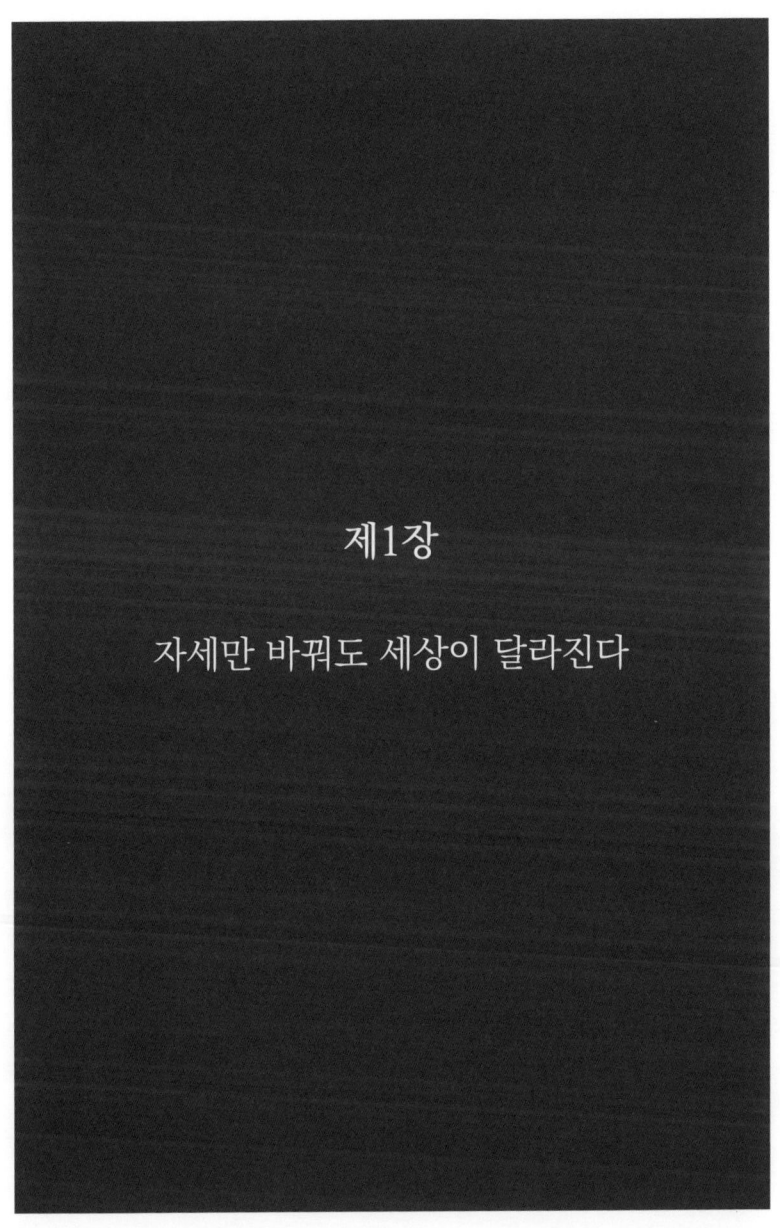

아무도 가르쳐 주지 않았던 체형별 속옷 레시피

"
성격은 얼굴에 나타나고
본심은 행동으로 알 수 있고
감정은 목소리로 전해지고
생활은 자세로 드러난다
"

여성이라면 화장품을 고를 때 가장 먼저 생각하는 게 무엇일까요? 메이크업에 크게 관심이 없는 사람이라고 할지라도 가장 먼저 자신의 피부 타입일 거예요.
피부 타입에 맞게 화장품을 사용해야 피부 광채는 물론 촉촉하고 주름도 좀 개선된 것처럼 보이죠. 반대로 잘못 선택한다면 어떤가요? 아마 몇 번쯤은 속상하거나 고생한 경험도 있을 거예요.

그렇다면 속옷을 고를 때는 어떠신가요?
앞서 말씀드렸듯이 속옷은 우리 몸의 소중한 '제2의 피부'인데 혹시 자신의 체형을 고려하지 않은 채 대충 입지는 않으세요? 화장품 선택에 따라 우리 피부가 달라지듯이 속옷 선택에 따라 저는 우리 몸과 체형도 달라진다고 자신 있게 말할 수 있습니다.
단언컨대, 속옷은 '내 몸에 하는 기초 화장품'과 마찬가지이기 때문입니다.

V&A
UNDERWEAR
FASHION IN DETAIL

ELERI LYNN
박명복 옮김

THE바른체형연구소

옮긴이 | 속옷 디자이너 박 명 복

한국 최초의 보정 속옷 디자이너로서 이탈리에서 ESSE MODA 패션 스쿨 수료, 일본에서 기능성 속옷 유학을 마친 후 귀국, 40여 년 동안 한국 여성의 체형과 속옷의 상관성에 대한 연구에 힘써 아리랑TV '한국 패션을 대표하는 10인' 안에 선정된 세계가 인정한 기능성 속옷 디자이너. 국내외 패션쇼와 이탈리아, 파리, 동경, 북경 등지에서 개인 컬렉션을 개최하여 호평을 받았으며, 다양한 신학연 프로젝트와 올바른 자세를 위한 과학적인 접목을 시도하는 속옷 연구 국책 사업에도 선정되어 국내 속옷 패션계의 발전에 기여하고 있다.

> "기초를 제대로 갖추지 않으면
> 패션이란 있을 수 없다."
>
> - 크리스찬 디올, 1954

INTRODUCTION
머리말

"기초를 제대로 갖추지 않으면 패션이란 있을 수 없다." 크리스찬 디올, 1954[1]

수세기에 이르는 동안 패션은 인류의 몸에 끊임없이 변화를 주어 왔다. 날씬한 몸과 관능적인 몸, 평평한 가슴과 풍만한 가슴, 남녀 구별이 없는 스타일과 여성스러운 스타일이 다양하게 유행했으며, 심지어 왜곡된 몸매 또는 잘록한 허리와 과장된 엉덩이도 유행했다. 실루엣의 극적인 변화가 아주 빠르게 나타나기도 했으며 단지 속옷만으로 표현되기도 했다. 여성들이 기초 의류의 도움 없이 다이어트와 운동으로 이상적인 패션을 연출할 수 있다고 생각한 것은 단지 1960년대 이후의 일이다. 따라서 속옷을 이해하는 것은 패션의 역사를 이해하는 기초이자, 문화와 사회의 흐름을 연구하는 데도 중요한 요소가 된다. 속옷이 도덕과 성, 아름다움 그리고 남녀를 바라보는 사회적 규범과 태도의 변화를 보여 주기 때문이다.

빅토리아 앤 알버트(Victoria and Albert) 박물관은 이 땅에서 유행해 온 가장 소중한 드레스 컬렉션을 소장하고 있다. 물론 16세기부터 현재에 이르는 희귀한 속옷도 이 컬렉션에서 빼놓을 수 없다. 이 책은 세계 최초로 빅토리아 앤 알버트 박물관의 속옷 컬렉션을 다루는 만큼 마음을 끄는 매혹적인 소재들도 보여 준다. 구조적인 코르셋(corset)과 크리놀린(crinoline)부터 속이 비치는 슬립(slips)과 멜빵 벨트(suspender belt)에 이르기까지 대부분의 작품은 여태껏 한번도 사진으로 찍거나 전시된 적이 없다.

이 책에서는 속옷을 사적인 의류로 정의한다. 사람들에게 보여 주려고 입는 옷이 아닌 것이다. 이러한 정의는 드레스 속에 감춰진 란제리, 기초 의류 그리고 메리야스 등의 의류를 비롯해서 잠옷과 실내복까지 포함한다. 또한 대부분이 여성용이고 컬렉션에서도 이를 분명히 강조하고 있지만, 남성의 속옷도 놓치지 않았다. 여성용 속옷은 몸매를 살리면서도 미적감각을 강조하여 디자인하는 것과 달리 남성용 속옷은 편안함과 실용성을 위주로 디자인하기 때문에 여성용 속옷과 비교할 때 단순하고 기능적이며 착용하기 편한 극소수만 살아남는다.

속옷은 패션을 떠받치는 역할을 한다. 몸매를 정리해 주며 옷매무새를 살리는 기초가 된다. 자연스런 모습을 찬양하던 시대에도 이상적인 패션을 위해 기초 의상에 의존했다. 그래서 오랜 세월 인간은 속옷을 이용해 몸을 축소하고, 밀어올리고, 부풀리고, 꾸미고, 드러내고, 감추어 왔다. 이 책은 그러한 구조와 기능을 탐구해 나갈 것이다.

영국 런던의 세계 최대 장식 디자인 미술관,
빅토리아 앨버트 박물관이 소장한 역사적인 속옷 컬렉션을 번역한 저의 책, 머리말 글귀만 보더라도 우리 몸에 맞는 속옷을 제대로 입는 것이 얼마나 중요한지 충분히 이해하셨을 것으로 생각합니다. 유럽에서 속옷을 공부하고 일본에서 기능성 보정 속옷의 장인께 전수받으며 저는 속옷을 디자인하는 일이 사람의 몸을 바로잡는 귀한 직업이란 사명감을 깨달았습니다. 왜냐하면 기능성 보정 속옷은 각각 다른 체형을 바로잡으면서 편안하고 자신감 있게 스타일을 돋보이게 만들 수 있기 때문이에요. 더욱 주목할 것은 여성의 체형은 나라마다, 문화마다 차이가 난다는 점입니다. 같은 나라 여성이라도 유전적 요인, 식생활, 환경에 따라 체형이 다르고 특히 오랜 습관은 체형까지 바꿀 수 있다는 것을 수없이 보아 왔습니다. 자신의 체형을 고려하지 않은 속옷으로 체형을 망가뜨리고 더 나아가 자세까지 무너지게 만드는 선택이 없기를 당부드립니다. 아울러 자신의 체형에 맞는 속옷을 제대로 착용하면 아름다움은 물론 자세가 좋아지면서 뜻밖의 보너스까지 얻을 수 있어요. 다음의 논문을 보시고 속옷의 중요성과 자세 미인의 습관을 만들어 가시기를 바랍니다.

부산가톨릭대학교 보건과학대학 임상병리학과 연구논문

ettim 보정속옷 착용을 통한 연령별 체형 교정, 체온 상승 및 혈중콜레스테롤 감소 효과
Correction of body shape, increase in body temperature and reduction in blood cholesterol through wearing ettim corrective underwear

박명복, 장경수

부산가톨릭대학교 보건과학대학 임상병리학과, ettim(에띠임)

Abstract

보정속옷은 체형을 보정하고 아름다운 자세를 만들어 주는 기능성 속옷이다. 본 연구의 목적은 에띠임에서 개발한 보정속옷을 착용한 여성에서 연령별로 체형 교정 및 체온 및 혈액 변화에 영향을 미치는지를 분석하는 것이다. 보정속옷의 속효성 체형 교정을 알아보기 위해서 40-70대 50명의 여성을 대상으로 체형변화를 측정하였으며, 체열 및 혈액변화를 확인하기 위해서는 60-70대 9명의 여성을 대상으로 착용전과 착용후의 체열 및 혈액 변화를 측정하였다.

여성에서의 체형은 연령별로 상관없이 후면, 측면, 정면 순으로 나빴으며, 보정속옷을 착용 후 연령별 관계없이 후면의 체형교정이 가장 컸으며, 정면, 후면 순으로 체형이 교정되었다. 상체용과 하체용 보정속옷의 체형 개선 효과는 거의 비슷하였다. 또한 보정속옷 착용 후 A(5점), B(4점), C(3점) 체형으로 개선되었으며, D(2점)과 E(1점) 체형은 감소되었다. 등뼈기울기는 연령이 증가할수록 나빴으며, 개선효과는 연령이 상관없이 동일하였다. 척추틀어짐은 40대와 70대에서 가장 나빴으며, 치료효과는 연령별로 차이는 크지 않았으나, 40대에서 가장 높았다.

에띠임 보정속옷을 착용 10일후 체열은 상승하였으며, 배, 등, 어깨, 엉덩이, 허벅지는 물론 팔과 다리, 손바닥, 발등까지 고르게 체온이 증가하는 양상을 보였다. 혈청화학적 분석에서는 혈중 콜레스테롤, 중성지방, LDL(저밀도지방) 등 혈중콜레스테롤 감소가 확인되었으며, 적혈구 침강속도가 증가하였으나, 간기능지표, 신기능지표, 당뇨 지표 등은 큰 변화가 없었다.

이와 같은 결과를 종합할 때, 에띠임 보정속옷은 체형 교정, 체온 상승 및 혈중콜레스테롤 감소에 효과가 있는 것으로 증명되었다.

Key Words: corrective underwear, body shape, body temperature, blood cholesterol, female

여성에서의 체형은 연령별로 상관없이
후면, 측면, 정면 순으로 나빴으며,
**보정속옷을 착용 후 연령별 관계없이 후면의 체형교정이
가장 컸으며, 정면, 후면, 순으로 체형이 교정되었다.**

．
．
．
．
．
．
．
．

이와 같은 결과를 종합할 때,

**ettim 보정속옷은
체형 교정, 체온 상승 및
혈중콜레스테롤 감소에
효과가 있는 것으로 증명되었다.**

체형 개선 결과 그래프

등뼈 기울기 개선

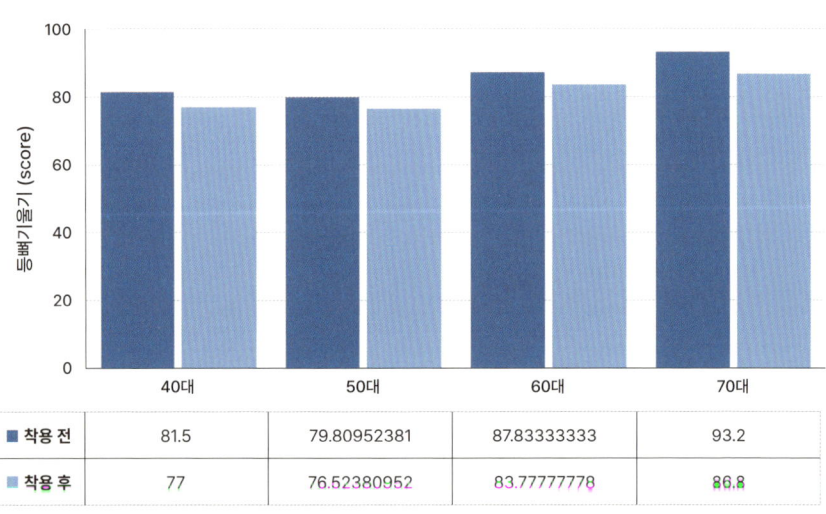

	40대	50대	60대	70대
■ 착용 전	81.5	79.80952381	87.83333333	93.2
■ 착용 후	77	76.52380952	83.77777778	86.8

척추 틀어짐 개선

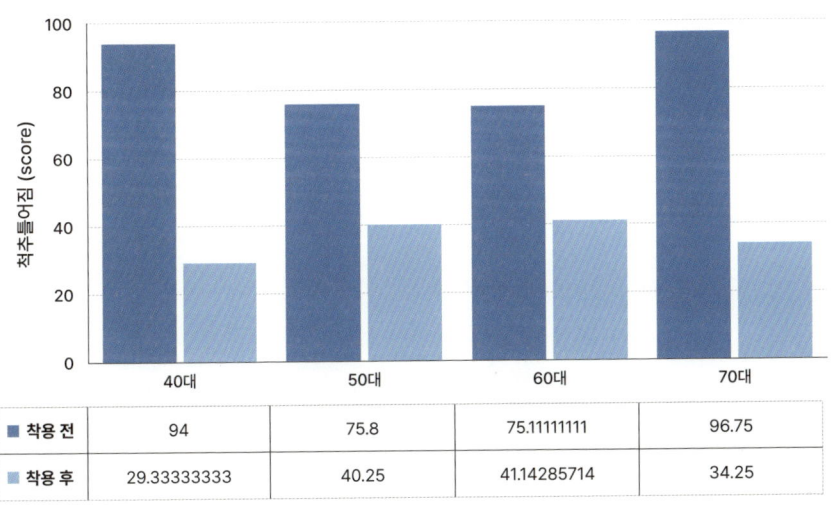

	40대	50대	60대	70대
■ 착용 전	94	75.8	75.11111111	96.75
■ 착용 후	29.33333333	40.25	41.14285714	34.25

자료제공 : 부산가톨릭대학교 보건과학대학 임상병리학과 연구논문
[ettim 보정속옷 착용을 통한 연령별 체형 교정, 체온 상승 및 혈중콜레스테롤 감소 효과]

그렇다면 내 체형은 어떤 체형일까요?

아무도 가르쳐 주지 않았던 내 체형, 실제로 40여 년 넘게 대한민국 여성들의 체형을 연구해 왔고 앞서 말씀드렸던 대로 찜질방에서 석고로 모형을 떠가며 실측한 경험이 합쳐진 특급 체형 노하우, 공개합니다.

제게는 음식이라면
정말 미슐랭 최고 별점을 주고 싶은
체형별 속옷 레시피입니다!

Chapter 1 자세만 바꿔도 세상이 달라진다

박명복 디자이너의
체형별 속옷 레시피

S형

상반신과 하반신이
적당히 균형을 이루고 있는 체형

허리를 강조하기보다는
가슴과 힙을 업시키는 것이 중요

박명복 디자이너의
체형별 속옷 레시피

A형

상반신이 좁고 하반신이 넓은 체형
가슴 볼륨이 비교적 작고,
허리부터 골반, 허벅지에 이르는 부위에
살이 많은 것이 특징

살집이 단단하여 다이어트가 쉽지 않고
가슴 볼륨을 업 시키는 것과
힙과 골반을 정리해서
상반신 하반신 균형을 맞추는 것이 중요

박명복 디자이너의
체형별 속옷 레시피

Y형

알파벳 모양에서도 짐작할 수 있듯이,
상반신이 넓고 하반신이 좁은 체형
상체에 살이 많고, 배가 많이 나온 반면,
엉덩이는 상대적으로 납작한 편

보통 50대 이상 여성들에게서
흔히 발견되는 몸매로,
살집이 물렁물렁하여 살이 잘 빠지는 반면,
쉽게 찌기도 하는 것이 특징
가슴을 충분히 감싸고
복부의 지방을 골고루 분산,
상반신 하반신 균형을 맞추는 것이 중요

박명복 디자이너의
체형별 속옷 레시피

D형

일명 거미 체형이라고 불리며,
대체로 상반신 중에서도
배가 유난히 발달한 특징
가슴은 작지만 배가 나와 있기 때문에
복부에 지방이 집중되어 있음

참고로, Y형과 함께 D형 체형은
골반이 틀어지기 쉬운 경향이 있으므로
골반을 바로 세우며
상반신 하반신 균형을 맞추는 것이 중요

H형

박명복 디자이너의
체형별 속옷 레시피

상반신과 하반신에
지방이 골고루 분산되어 있어
실루엣이 전반적으로 뭉뚝한 편
전체적으로 살집이 없고
마른 몸매 또한 H형으로 분류

나이에 상관없이 살집이 많거나,
아주 마른 체형의 소유자들이 이 유형에 해당
허리 라인을 강조하고
상반신 하반신 균형을 맞추는 것이 중요

자세가 펴지면 주름도, 마음도 펴져요

흔히 "나이에 비해 꼿꼿하다"라는 말을 많이 하죠?

이 말은 태도나 자세가 반듯하고 굳건하다는 의미입니다. 이 표현만 봐도 우리가 얼마나 자세를 중요하게 여기는지 알 수 있습니다. 실제로, 자세가 반듯하면 훨씬 더 젊어 보이는 효과가 있습니다. 어깨를 펴고 허리를 곧게 세우는 바른 자세는 외모를 돋보이게 하고 활력을 더해 주기 때문인데요.

그래서 바른 자세를 하면 "저 사람 참 인상 좋다"라는 말까지 자연스럽게 따라오게 됩니다.
반면, 움츠러든 자세는 나이를 더 들어 보이게 만들 수 있는데요. 이는 얼굴의 주름이나 피로감을 강조할 수 있는 자세이기 때문입니다. 따라서, 자세를 바로잡는 것만으로도 젊은 이미지를 만들 수 있다는 점, 기억해야 합니다.

나이 들수록 자세를 펴야 하고,
외모를 가꿔야 하는 이유 중 하나겠지요.

타고난 외형은 세월에 따라 변할 수 있지만, 바른 자세와 태도는 나이가 들어서도 충분히 유지할 수 있습니다. 이런 노력은 자신을 존중하고 보살피는 과정에서 나오기 때문에, 주변 사람들에게도 긍정적인 영향을 미치는 사람이 된다는 이야기입니다.
이렇게 되면 자연스럽게 호감을 주는 존재가 되겠죠.

자세가 펴지면 얼굴의 주름도 펴지고 마음까지 편안해지면서 단순히 '잘 생겼다', '예쁘다'가 아니라 상대방이 호감을 느끼는 '매력적인 외모'로 변하게 되는데요. 막대한 비용을 들여 성형을 하고 특별한 관리를 받을 필요가 있을까요? 그저 바른 자세와 생활 습관을 바꾸는 것만으로도 얼마든지 매력적인 중년과 노년으로 빛날 수 있다는 겁니다.

그렇다면 코코 샤넬의 명언을 한 번 인용해 볼까요?

"상대를 외모로 평하지 마라.
그러나 명심해라, 당신은 외모로 판단될 것이다."
또 있습니다.
"20대의 외모는 자연의 선물이지만,
50대 이후의 얼굴은 스스로가 만든 공적(功績)이다."
역시 코코 샤넬의 말이에요.

'나이는 못 속인다'라는 말,
그래서 맞는 말이기도 하죠.

자-
그러면 나이가 들수록 볼매,
볼수록 매력적인 자세 미인이 되어 볼까요?

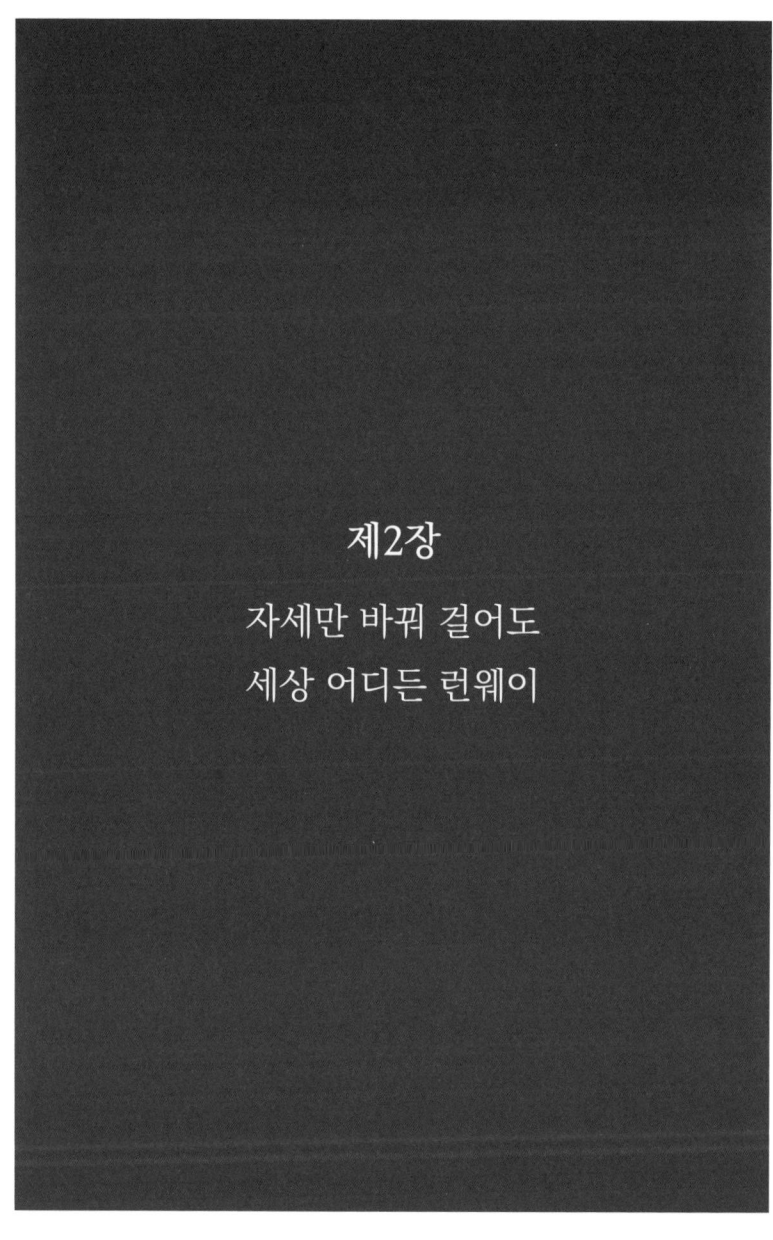

제2장

자세만 바꿔 걸어도
세상 어디든 런웨이

걸음걸이는
당신의 모든 것을 알고 있다

"걱정도 팔자"라는 말이 있죠?

그런데 정말 걱정이 많으면 걷는 자세도 달라진다니 믿으시겠어요?
여러분은 어떻게 걷고 계신가요? 걸음걸이와 건강, 그리고 성향에 관해 연구한 결과들을 살펴보면, 우리의 걷는 모습에는 몇 가지 비밀이 숨겨져 있습니다.
미국 보스턴 메디컬 센터(BMC) 연구팀은 평균 연령

62세의 남녀 2,400명을 대상으로 보행 속도와 두뇌 상태의 상관관계를 조사했습니다. 11년간의 추적 관찰 결과, 느리게 걷는 사람들이 빨리 걷는 사람들에 비해 치매 발병률이 높다는 사실을 밝혀냈습니다.

구체적으로 말하자면, 보행 속도가 느렸던 사람들은 빨리 걷는 이들에 비해 치매 발병률이 무려 1.5배 더 높았다는 거예요. 또한, 걸을 때 왼쪽으로 향하는 사람이 있다면, 그 사람은 평소 잔걱정이 많은 사람일 가능성이 높았다는 거예요.

국제학술지 '인지 저널(Journal Cognition)'에 실린 연구에 따르면요, 걱정지수가 높은 사람들이 차분한 사람들보다 걸을 때 왼쪽으로 치우쳐 향하는 경향이 있다고도 합니다. 이는 우뇌 활동과 관련이 있는데요. 우뇌는 염려, 긴장, 걱정 등 기분과 감성을 관장하기 때문입니다. 특히 주목할 점은, 여성 중 보폭이 힘차고 자유롭게 걷는다면, 침대에서도 성적인 기량이 좋을 가능성이 높다는 점입니다. 벨기에 연구진은 걸음걸이를 통해 여성이 성생활에서 얼마나 절정을 느끼는지 알아보는 연구를 진행했는데요. 연구 결과, 힘 있고 자유로운 보폭으로 걷는 여성일수록 침실에서 더 많은 극치감을 느낄 가능성이 높다는 거예요. 유연하고 힘차고 관능적이며 자유로운 걸음을 걷는 여성이 성생활에서도 절정의 경험이 풍부하다는 보고였습니다.

종합적으로 말하자면,
걸음걸이로 당신을 꿰뚫어 볼 수 있다는 건데요.
아침부터 밤까지, 걸음걸이만 봐도 여러분이 한 일을 웬만큼은 알고 있다는 이야기입니다.
정말 흥미롭지 않나요?

이제부터 더욱 멋진 걸음걸이로
자신을 표현해 보세요!!

몸을 움직이는 즐거움

요즘 주변에 나이를 듣고
깜짝 놀라게 되는 여성들을 많이 보셨죠?

자기 관리를 철저히 하여,
난순히 동안(童顔)이라는 말로는 부족할 정도로 나이라는 편견을 깨는 스타일과 마인드를 가진 실버세대 여성들이 정말 많아졌습니다. 이런 여성들은 한결같이 자세가 꼿꼿하고 태도가 우아합니다.
미소를 띤 얼굴에 감사하는 마음을 지니고 있어,

주변 사람들까지 환하게 만들어 주죠. 아름다운 노년기 여성들을 살펴보면, 그들의 공통점이 하나 있습니다. 바로 부지런히 몸을 움직인다는 것!

저희 어머니도 아흔아홉 세에 천국으로 가시기 전까지 몸을 쉬지 않고 움직이셨습니다. 구약성서에 나오는 다니엘처럼 자식들과 누군가를 위해 늘 무언가를 하시며, 쉴 틈 없이 기도하시던 모습이 제가 기억하고 제가 닮고 싶었던 엄마의 모습이었어요. 때때로 걱정이 되어 쉼을 권하기도 했지만, 그것이 엄마의 기쁨이라는 걸 알게 된 후는 그저 무리하지 않도록 지켜보았습니다. 저희 어머니는 삶이 다하시는 날까지 '보배 할머니'라는 당신의 애칭대로 온 가족의 보배로운 존재로 행복하게 눈을 감으셨어요. 이처럼 부지런히 몸을 움직이면 누릴 수 있는 행복은 의외로 큽니다. 하지만 매일매일 지치고 힘들며 스트레스가 쌓여가는 대부분의 사람들에게 몸을 더 움직이라는 말은 쉽게 받아들여지지 않을 거예요. 오히려 쉴 시간, 잠잘 시간도 부족하고 운동은 꿈도 꾸지 못하고 고치고 싶은 생활 습관은 알면서도 바꾸지 못하고 고민만 하면서 시간을 보내고 있지 않을까요? 그러는 사이에 점점 더 지치고 여기저기 아프면서 악순환이 시작됩니다.
자! 그렇다면, 다른 건 못 해도 걷는 것은 시작해 볼 수 있지 않을까요? 특히 답답할 때 아무 생각 없이 걷다 보면 마음이 한결 편해졌던 경험, 있으실 겁니다.

그러니까 일단 걷기부터 시작해 보세요!
걸어서 목적지에 도착하는 것보다 길 위에서 무엇을 만나고 느끼는 것부터 경험해 보세요.

그럼 그 경험을 통해 새로운 것들을 발견하고
이제까지 다른 눈으로 세상을 바라보게 될 거예요.

내 걸음걸이 체크! 체크!

걸음마를 떼고 걷기 시작한 지가 언젠지 까마득한데 의외로 바르게 걷는 법을 모르는 사람이 많아서 놀랐어요. 또 걷는 행위에 신경을 쓰지 않는 게 대부분인데요, 걷기는 한 걸음 한 걸음이 우리의 자세와 건강, 그리고 자신감을 나타낸다는 거 잊지 말자고요.

먼저 나쁜 자세로 걸을 때 그로 인해 몸이 느끼는 부담에 대해 알아보고 바른 자세에 관해 설명하겠습니다.

먼저, 무릎을 스치면서 일직선으로 걷는 '일자 걸음'입니다.

보기에는 좋아 보이지만, 이런 걸음걸이 때문에 다리가 휘어질 수 있습니다. 주로 하이힐을 신는 젊은 여성들이 모델처럼 걷기 위해 일자로 걸으려 하는데요, 이렇게 걸으면 무게 중심이 무릎 안쪽에 실리게 되어 관절염이 생기기 쉬우며, 다리가 'O'자 모양으로 휘어질 위험이 있습니다.

다음으로, 발끝이 안쪽으로 구부러지는 '안짱걸음'도 무릎에 부담을 많이 줍니다. 이에 따라 연골에 통증이 생기며 골반이 틀어지면서 다리가 휘어질 수 있습니다.

또한, 발끝이 바깥으로 벌어지는 '팔자걸음' 역시 고쳐야 할 자세입니다. 이런 발 모양으로 걸으면 고개가 뒤로 젖혀져 척추에 압력이 가해집니다.
또한 걷는 동안 고개를 숙여 아래를 보게 되면 목에 부담이 가해집니다.

허리를 구부리고 걷는 자세는 허리에 통증을 유발할 수 있고요. 배를 앞으로 내밀고 걷게 되면 척추의 정렬이 어긋나고, 허리에 추가적인 스트레스를 줄 수 있어요. 스마트폰을 보면서 걷는 분들도 많으시죠? 목과 어깨에 긴장이 쌓여, 통증을 유발합니다.

건강한 11자,
바르게 걷기의 기본!

바른 자세를 유지하는 것이
생각보다 어렵다는 사실에 깜짝 놀랄지도 몰라요.

턱을 심하게 당기고, 가슴은 내밀어야 하며, 아랫배와 엉덩이에도 힘을 많이 주게 되죠. 평소에 자세가 좋지 않은 분들은 이 자세를 흉내 내기도 힘들 수 있습니다. 이런 바른 자세를 유지하기 위해서는 여러 근육이 튼튼해야 합니다. 특히 복근, 엉덩이 근육, 능형근, 허벅지 내전근 등 몸의 세로축을 잡아 주는 근육들이 강해져야 합니다.

바른 자세가 완성되면, 근육의 힘을 빼고 나서도 그 자세를 유지하는 법을 익히는 것이 중요합니다. 이렇게 하면 자연스럽고 편안하게 바른 자세를 지속할 수 있을 것입니다. 올바른 걸음걸이는 두 발이 '11자 모양'을 유지하는 게 좋습니다. 이때 보폭은 자신의 키의 40% 정도면 충분합니다. 발은 바닥에 뒤꿈치부터 발바닥, 발끝까지 차례로 닿아야 합니다. 만약 신발 바닥이 한쪽 부분만 닳는다면, 걸음이 잘못되고 있을 수 있습니다. 바깥쪽만 닳는다면 '팔자걸음', 안쪽이 닳는다면 '안짱걸음'을 의심해 봐야 해요!

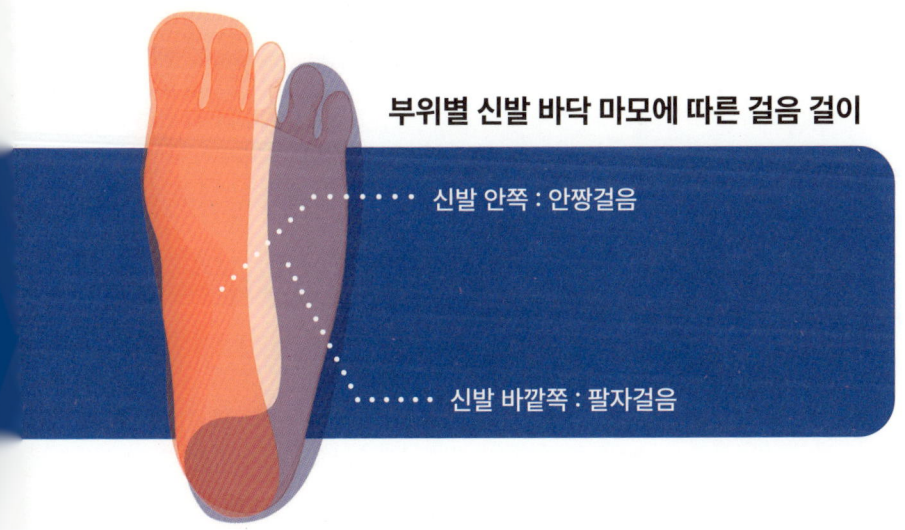

부위별 신발 바닥 마모에 따른 걸음 걸이
신발 안쪽 : 안짱걸음
신발 바깥쪽 : 팔자걸음

바른 걸음 자세미인, 정리해 볼까요?

① 고개를 들고 시선을 앞쪽으로 향하세요.
전방 5m 정도를 주시하는 게 좋습니다.
② 어깨를 자연스럽게 펴고 긴장을 풀어주세요.
(어깨가 위로 올라가지 않도록 주의!)
③ 허리를 곧게 펴고 척추를 자연스럽게 유지하세요.
④ 배를 살짝 당기면서 코어에 살짝 힘을 주세요.
⑤ 발은 어깨너비로 벌리고 11자 형태로 두세요.
⑥ 팔은 자연스럽게 옆으로 늘어뜨려 가볍게 흔들어 몸의 균형을 잡아요.
⑦ 발을 뒤꿈치부터 바닥에 닿으면서 바닥을 밀 듯이 걸어요.

걸을 때, 자세 미인!

Chapter 2 자세만 바꿔 걸어도 세상 어디든 런웨이

흥얼흥얼 콧노래에
NO(산화질소)가 뿜뿜 ♪♬

비밀스럽게 말씀드리자면,

'혈관 미남' 장경수 교수님은 콧노래를 정말 잘 부르십니다. 연구실에서 커피를 내려 주시는 그 짧은 순간, 주문한 음식이 나오기를 기다리는 동안, 그리고 부산역 플랫폼에서 열차를 기다리면서도 "눈누난나"라는 포근한 콧노래로 우리를 마중하거나 배웅하시곤 하죠. 그 콧노래는 묘한 중독성이 있어서 어느새 따라 부르게 되는데요. 그러면 기분이 좋아지고 피로가 풀리는 느낌이 듭니다. 그런데 이런 콧노래의 효과가 과학적으로도 입증되었다고 합니다. 미국 뉴욕 포스트에 따르면, 입을 닫고 성대에 공기를 통과시켜 진동으로 소리를 내는 콧노래는 '피로를 풀 수 있는 쉬운 치료법'이라고 합니다. 전문가들은 콧노래를 부를 때 인체에서 NO(산화질소)가 생성되면서 피로감 해소에 도움이 된다고 설명하는데요,

그렇다면 걸을 때도 코호흡으로 콧노래를 흥얼거려 보는 건 어떨까요? NO(산화질소)는 혈관을 확장해 폐에 더 많은 산소를 공급하고 혈액 순환에도 도움을 줄 수 있습니다. NO(산화질소)를 연구하여 노벨 생리의학상을 수상한 루이스 이그나로 박사는 "콧노래를 부른 후 즉시 코로 숨을 들이마시면 상당량의 산화질소를 들이쉴 수 있다"라고 강조했습니다. 또한, 스웨덴의 한 연구팀은 콧노래를 부르는 것이 조용히 숨을 내쉬는 것보다 비강 내 NO(산화질소) 수치가 무려 15배 더 높게 나타났다고 밝혔습니다. 이 연구팀은 "콧노래를 10

초만 부르면 비강의 공기가 모두 바뀌게 된다"라고 전했습니다. 자, 그러면 지금 당장 콧노래를 부르며 바른 자세로 걷기 시작해 볼까요?

"눈누난나♪"

'아이고'가 "렛츠고"가 되는 법

외국 출장 중에 만난
한 운전기사의 이야기가 떠오릅니다.

그분은 한국어를 전혀 몰랐지만, 가장 먼저 배운 한국어가 "아이고"였다고 하더라고요.
관광버스에 오르시는 한국 어머니들이 무릎을 구부릴 때마다 "아이고! 아이고!" 하며 오가는 모습이 인상 깊었나 봅니다. 사실 "아이고" 소리를 입에 달고 사시는 분들 많긴 해요, 그렇죠?

나이가 들수록 여기저기 결리고 쑤시는 몸,
특히 걸을 때마다 무릎이 아프다고 호소하는 분들이 많습니다. 무릎 통증의 원인은 개인마다 다르지만, 잘못된 걸음걸이가 공통적인 원인 중 하나입니다.

게다가 체중이 증가하면 무릎 관절에 더 큰 부담이 가해져 통증이 발생할 수 있죠. 이럴 때 신발 점검이 필수입니다. 쿠션이 없는 신발이나 굽이 높은 신발을 신고 걸으면 무릎에 충격이 가해질 수 있으니까요.
또 하나 놓치지 말아야 할 부분이 있습니다. 가끔 무섭거나 놀라거나 힘이 빠질 때 "오금이 저리다"라는 표현을 쓰곤 하죠? 무릎 뒤쪽의 오금은 다리를 굽히고 펴는 동작에 관여하는 힘줄과 인대가 모여 있는 부위인데요. 혈액 순환에 문제가 생기면 저리거나 통증이 생겨 다리를 움직이거나 걷는 데에 불편함을 느낄 수 있습니다.

따라서 습관적으로 무리하거나, 장시간 서서 일하는 등 무릎을 과도하게 사용하면 오금이 아프게 되죠.
오금에 문제가 생기면 림프절이 부풀어 통증을 유발하고, 주위에 부종이 생길 수 있습니다. 이렇게 다리가 붓고 무거워지면 걷기가 얼마나 힘들겠어요?
그래서 무릎을 구부릴 때
근력의 부담을 덜어주고
바닥을 안정감 있게 디딜 수 있도록
똑똑한 스팻츠가 있다면
입고 걸을수록 얼마나 든든하겠어요?
그렇다면 일단 소재부터 달라야 합니다.
일본에 수소문해 사람의 움직임에 따라 유연하게 움직이는 스트레치 신소재를 원단으로 무릎 부분을 '커브 디자인'으로 설계, 보행 원리에 따라 입체 테이핑 원리를 추가해 무릎을 굽혔다 폈다 해도 어떻겠어요?
부담을 덜어주면서 오래 걸어도 덜 피로하게 만들었습니다.

여기에 NO(산화질소) 패드를 삽입하여 걷기나 운동 중 혈액 순환까지! 자~ 이제부터 걷는 것이 얼마나 축복인지 느껴보실래요?

렛츠 고!

"
나에게 두 명의 의사가 있다.
내 오른발과 왼발이다.
"

조지 매컬리 트리블리안
George Macauley Trevelyan
- 영국 역사학자 -

근육 부자가
진짜 부자

몇 해 전, 봄기운이 완연하던 어느 날,
남편이 가벼운 낙상 사고를 당했습니다.

정원을 가꾸다가 미끄러져 엉덩방아를 찧고 말았던 거죠. 남편은 다행히 낙상 후 골절은 없었지만, 시간이 지나면서 허리 통증과 다리 저림으로 병원 치료를 꽤 했습니다. 그 과정을 함께 하면서 아무래도 몸에 힘이 빠진 게 혹시 노쇠해지기 시작하는 건가, 걱정과 더불어 남편을 챙겨 주지 못한 미안함이 비례했어요.

나이가 들면 저절로 찾아오는 노화 현상과 달리 갑작스럽고도 전반적으로 걸음 속도가 느려지는 것을 비롯해 쇠약해지는 상태가 될 때 노쇠화가 찾아온다는데요. 우리가 예방하고 막아야 하는 것이 바로 '노화'보다 '노쇠'라고 하지요. 노쇠가 진행되면 근육이 줄고 신체 기능이 급격히 떨어지면서 낙상이 발생하기 쉽기 때문입니다.

세계보건기구(WHO) 보고서는 노인의 근육량 감소와 그로 인한 낙상 위험 및 사망률 증가에 대해 발표했는데요. 근육량이 적은 노인은 낙상 위험이 2배, 사망률은 3배까지 증가한다는 연구 결과입니다. 특히 다리 근육이 줄어들면 보행 속도가 느려지고 균형 감각이 떨어져 작은 충격에도 쉽게 넘어질 수 있다는 보고예요. 이에 세계보건기구(WHO)는 '근감소증'을 정식 질병으로 등재했습니다.

노화가 진행될수록 매년 1%씩 근육이 소실돼 이에 따라 보행 속도가 느려지면서 낙상 위험이 대사질환 발병에도 직접적인 영향을 줄 수도 있답니다. 심각한 경우에는 사망까지 이를 수 있다고 하니까 나이가 들수록 근육, 얼마나 소중한지 아시겠지요? 그래서 나이가 들면서 연금만큼 중요한 저축이 '근육 저축'이고, 재테크만큼 강조되는 것이 '근테크'라는 말까지 생겨났습니다. 놀랍게도 근육은 뇌 건강과도 밀접한 관련이 있습니다. 근력이 좋으면 뇌 위축과 인지 기능 저하를 억제한다는 실험 결과도 있습니다. 2024년 가톨릭대 여의도성모병원 가톨릭 뇌 건강센터 연구팀은 뇌 영상을 활용해 '근감소증'에 따른 인지 기능 저하의 원인을 세계 최초로 규명했는데요.

이 연구에 따르면, 고령에서 근육의 양과 강도, 기능을 유지하는 것이 뇌 퇴행성 변화와 인지 기능 저하를 막는 데에 중요하다는 것이 확인되었습니다.

정리하자면,
'근감소증'은 노인의 낙상, 골절, 걸음걸이 이상뿐만
아니라 알츠하이머병, 혈관성 치매 등으로 인한 인지
기능 장애 위험도 증가시킨다는 거죠!

그러니 나이가 들수록
근육 저축은 최고의 투자라는 점을 기억하세요.

그래서 지금부터 꾸준히 근육 저축해서
"근육 부자 되세요! 꼭이요~!!"

신데렐라와 콩쥐
왜 '신발' 한 짝을 남겼을까?

우리나라의 콩쥐나
세계의 신데렐라 이야기를 떠올려 보면,

파티에서 멋진 왕자를 만나
첫눈에 반하는 장면이 그려집니다.
그리고 이내 헤어지는 아픔을 겪으면서 남기는 흔적이
바로 신발이죠. 예쁜 신발 한 짝을 남기고 도망치는 설정이 흥미로운데,

왜 많은 소품 중에서 꼭 '신발'일까요? 신발이 두 사람을 다시 연결하는 운명의 매개체가 되는 이유는 뭘까요? 바로 신발이 동화 속 주인공들의 정체성을 증명하는 중요한 요소이기 때문입니다.

바꿔 말해 신데렐라와 콩쥐를 상징하는 것은 바로 그들의 신발입니다. 자기 발에 꼭 맞는 신발은 신분 상승과 행복을 약속하며, 결국 해피 엔딩을 맞이하는 것만 봐도 아시겠죠? 흥미롭게도, 신발을 만들어 신는 동물은 인간뿐입니다. 신발은 나를 오롯이 담는 소중한 문명의 도구로서, 그 상징성이 더해지면서 날이 갈수록 기능적으로도 중요성이 부각되고 있습니다.

그런데 여러분은 신발에 발을 맞추시나요,
아니면 발에 신발을 맞추시나요?

질문이 조금 이상하게 들릴 수도 있지만,
신발을 신을 때 우리는 신발 안에 들어갑니다.

여성들의 경우, 신발 디자인이 마음에 들면 때때로 신발에 발을 맞추게 되기도 하는데요. 한국 사람들은 대체로 발 볼이 넓고 발등이 높습니다. 때문에 신발을 구입할 때 발을 신발에 맞춰서 꽉 끼는 고통을 감수하거나, 치수보다 큰 신발을 사서 헐겁게 신는 경우가 많습니다. 이런 선택은 발가락, 발목, 무릎, 허리, 어깨 통증 등 다양한 근골격 질환의 원인이 될 수 있습니다.

발에 맞지 않는 신발이 주는 고통은 발 건강을 해치는 것은 물론, 큰 스트레스까지 주잖아요. 발은 '제2의 심장'이라고 들어보셨나요? 이는 발이 인체에서 가장 힘든 노동을 하는 기관 중 하나이기 때문입니다. 사람은 태어나서 60세까지 평균적으로 지구를 세 바퀴 반에 해당하는 약 16만 km를 걷는다고 하는데요. 게다가 1km를 걸을 때마다 대형트럭 두 대에 해당하는 약 15t의 압력을 받는다고 해요. 이 압력을 이용해 아래로 몰린 피를 심장 쪽으로 뿜어내는 역할을 하기 때문에 발을 '제2의 심장'으로 부르는 거예요. 또한, 발은 몸의 주춧돌이기도 합니다. 발에는 26개의 뼈와 수많은 관절, 100여 개의 힘줄 및 인대, 그리고 신경과 혈관이 모여있어 우리 몸을 지탱하고 균형을 유지하는 중요한 역할을 합니다. 그래서 발에 문제가 생기면 결국 걸음걸이에 이상이 생기고, 이는 무릎, 고관절, 허리 등 다른 부위에도 영향을 미치게 되는 거죠.

따라서 발을 잘 관리하고, 내 발에 편안한 신발을 선택하는 것이 얼마나 중요한지 이해가 되셨나요?
한 심리학자에 따르면 좋은 신발을 신었을 때 느끼는 편안한 감정이 좋은 일로 연결될 수 있는 확률이 커질 수 있다고 하는데요.

그래서 이런 말이 생겼나 봐요.
"좋은 신발은 사람을 좋은 곳으로 데려간다."

꼭 한 번 좋은 신발

편안한 신발 신으시고 사뿐사뿐~

좋은 곳에서 좋은 사람들과 함께 해보세요!

건강한 아름다움의 중심, 골반

"남자는 어깨, 여자는 골반."
'잘록한 허리와
빵빵한 엉덩이를 가진 골반 미인 톱 3'

이런 표현에서 알 수 있듯,
골반 미인들까지 주목받는 시대가 되었죠.

하지만 골반은 단순한 미의 기준을 넘어, 우리의 자세와 건강에 있어 매우 중요한 요소입니다. 골반은 우리 몸의 중심부에 자리 잡고 있으며, 상체와 하체를 연결하는 핵심 역할을 하는데요. 이 때문에 골반의 위치와 정렬은 전체적인 자세에 큰 영향을 미칩니다. 중요한 만큼 순서대로 요점 정리를 해볼까요?

첫째,

골반이 올바르게 정렬되면
척추의 자연스러운 곡선이 유지됩니다.
척추는 S자 형태로 되어 있어 이 곡선이 잘 유지될 때 몸의 균형이 잡히겠죠?
반면, 골반이 뒤로 기울거나 앞으로 기울면 척추의 곡선이 변형되어 허리 통증이 발생할 수 있어요.

둘째,

골반은 하체 근육과 밀접한 관계가 있습니다.
골반의 위치가 안정적일 때 대퇴사두근, 햄스트링, 엉덩이 근육이 효율적으로 작용하게 되며, 결과적으로 걷거나 뛰는 동작이 더욱 원활해지는데요. 이는 운동 수행 능력을 향상시키고 부상의 위험을 줄이는 데도 큰 도움이 됩니다.

셋째,

골반은 내부 장기와도 깊은 연관이 있어요.
골반이 올바른 위치에 있을 때 장기들이 안정적으로 자리 잡아 소화나 배뇨 등의 기능이 원활하게 이루어집니다. 반면, 골반의 불균형은 이러한 기능에 부정적인 영향을 미칠 수 있다는 사실!

넷째,

　골반의 정렬은 호흡에도 영향을 미칩니다.
　골반이 제대로 정렬되면 흉곽이 열려 폐가 충분히 확장되며, 이는 깊고 안정적인 호흡을 가능하게 해 전반적인 신체의 산소 공급을 개선합니다.

자, 골반이 얼마나 중요한지 충분히 아시겠죠?

다시 핵심 체크!
골반이 올바르게 정렬되면 척추 건강, 하체 안정성, 내부 장기 기능, 그리고 호흡까지 모두 긍정적인 영향을 받습니다. 따라서 바른 자세를 유지하기 위해 골반의 위치와 정렬이 매우 중요하다는 점을 잊지 마세요!

특히 여성에게는 자궁을 감싸고 보호해 주는 중요한 기관인 만큼 평소 관리가 필요하다는 사실 알고 계셨나요? 여성은 골반이 정상적으로 자리 잡고 있어야 전신의 혈액 순환과 근골격 기능이 원활하게 이루어지게 되고 그러면 저절로 몸매와 피부까지 좋아지게 되겠지요?

결론적으로,
"골반이 건강해야 진정한 미인"
이라는 말은 진리입니다!

그러면 골반을 건강하게 하는
체조에 대해 알아볼까요?

골반 건강 체조

1. 위를 보고 누운 뒤 양 팔은 넓게 벌립니다

2. 왼쪽 무릎을 굽혀 왼쪽 골반을 오른쪽으로 기울입니다
이때 오른손으로 왼쪽 무릎을 잡고 바닥으로 지긋이 눌러줍니다(20초 유지)

3. 반대쪽도 똑같이 실시합니다

앉으나 서나
바른 자세 ♬♪

"앉으나 서나 당신 생각 ♪
앉으나 서나 당신 생각 ♬"

가수 현철의 이 노래를
저는 이렇게 바꿔 부릅니다.

"앉으나 서나 바른 자세 ♪~~~
앉으나 서나 바른 자세 ♬~~~"

생활 속 자세 체크! 체크!

평소 우리의 자세는 어떤지
한번 점검해 볼 필요가 있을 텐데요.
다리를 꼬거나 한 다리를 걸쳐 앉을 때가 많죠?

(1) 앉을 때, 자세 미인!

① 소파의 등받이에 등을 편안하게 기대기
② 어깨를 자연스럽게 뒤로 젖히기
③ 발은 바닥에 평평하게 두기
④ 무릎이 엉덩이보다 약간 낮은 위치 유지
⑤ 팔은 몸 옆에 두거나 소파의 팔걸이에 놓기
⑥ 전체적으로 안정적인 자세 유지

바른 자세는 바르게 걷고 서는 것뿐 아니라 앉는 자세도 중요한데요. 다리를 꼬고 앉거나 의자에 엉덩이를 반만 걸쳐 기대앉는 자세는 상체의 무게를 가중해 등과 허리에 부담을 주고, 골반의 조화를 무너뜨려 통증을 발생시킵니다.

또한 몸 전체가 조금씩 틀어지게 돼 혈액 순환에 문제를 일으키게 만들죠. 그러면 결국 부종이 발생하고 노폐물이 쌓이며 살이 찌게 되는데요. 바르게 서서 걷는 자세만큼 바르게 앉는 자세, 얼마나 신경 써야 할지 아시겠죠? 그럼, 여기서 바른 자세를 다시 기억해 보면요, 바른 자세는 우리 몸의 경추와 척추, 골반이 바로 정렬해 있는 것을 말하는데요. 바르게 앉기 위해서는 우선 허리를 바로 세우고 엉덩이를 끝까지 붙여 등받이에 허리와 엉덩이가 닿아야 합니다.
이때 허리에 자연스럽게 C자 곡선이 생겨야 합니다.

앉을 때, 자세 미인!

Chapter 3 자세만 바꿔도 라인이 달라진다

(2) 운전할 때, 자세 미인!

차에서 보내는 시간이 길 수밖에 없는 현대인들에게 운전할 때 앉아 있는 자세, 그 자세가 무너져서는 안 되겠죠?

그렇다면 운전 중 바른 자세 TIP!
무엇보다 운전석과 페달의 적정 거리를 유지하는 것이 중요해요. 운전석과 페달 사이의 거리가 너무 멀면 허리가 앞으로 숙여지고 허리가 경직되거든요. 따라서 페달과 발이 너무 멀어지지 않게 앞으로 당겨 앉아야 해요. 무릎은 60도, 등받이는 90~100도가 되도록 거리를 조정한 후, 엉덩이를 등받이에 붙이고 의식적으로 허리를 펴야 한다는 것, 수시로 점검하세요!

운전할 때,
자세 미인!

(3) 무거운 물건 들고 내릴 때, 자세 미인!

크고 작은 물건들을 들고 내릴 일은 일상에서 다반사입니다.

무거운 물건을 들고 내릴 때의 자세는 부상의 위험을 줄이고 물건을 들고 내릴 때 허리를 구부리거나 비틀면서 물건을 내리는 경우가 많죠? 허리를 굽혀서 물건을 들어 올린 후 그대로 허리를 숙여서 내리면, 척추에 과도한 압력이 가해져서 허리 통증이나 심지어 디스크 문제가 발생할 수 있습니다.

또한, 물건을 내릴 때 몸을 한쪽으로만 비틀면 균형을 잃기가 쉽고, 이로 인해 넘어지거나 부상을 입을 가능성이 높아집니다.

그렇다면 어떤 자세로
물건을 들고 내려야 할까요?

무거운 물건 들고 내릴 때, 자세 미인!

허리는 펴고
무릎은 굽힌 뒤
물건은 몸과 가까이

허리는 계속 편 상태로
엉덩이를 뒤로 빼면서
허벅지의 힘으로 일어나기

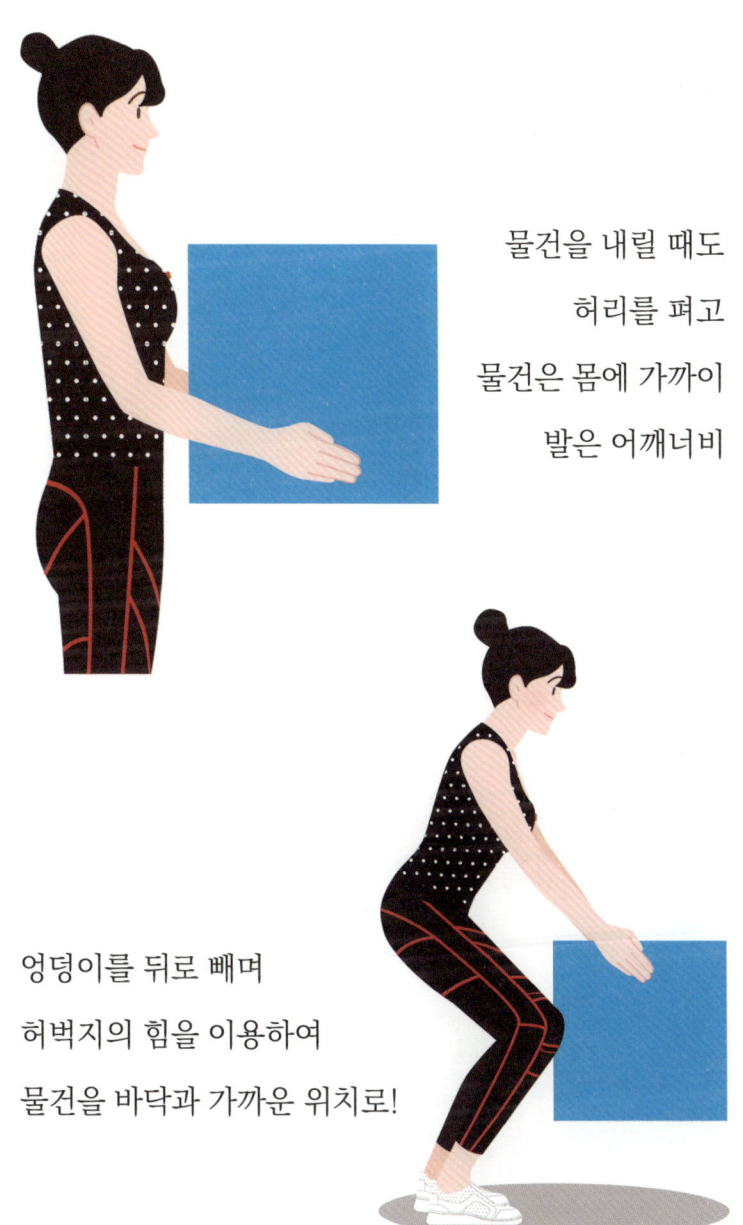

물건을 내릴 때도
허리를 펴고
물건은 몸에 가까이
발은 어깨너비

엉덩이를 뒤로 빼며
허벅지의 힘을 이용하여
물건을 바닥과 가까운 위치로!

무릎이 펴져있는 경우
무릎에 체중이 실려
무릎 관절 손상을 유발합니다.

허리를 구부려
물건을 드는 경우,
내 상체의 무게까지
허리에 집중되기 때문에
허리에 부담을 줍니다.

샤론 스톤인 줄 아세요?
다리 꼬기 그만!

샤론 스톤을 세계적인 섹시 스타로 만든 영화, "원초적 본능"의 명장면을 기억하시나요?

형사에게 취조를 받던 살인 용의자 샤론 스톤이 다리를 꼬고 앉는 포즈로 단번에 전 세계의 섹시 아이콘으로 부상하게 됩니다. 이 장면은 지금까지도 회자되며 패러디의 소재로 활용될 정도로 강렬하고 매혹적인 인상을 남겼습니다. 여성들은 다리를 꼬고 있는 모습으로 각선미의 아름다움을 강조하는 자세를 자주 취하는데요. 다리가 길어 보이는 효과도 있어, 의자에 앉을 때 무의식적으로 다리를 꼬는 분들이 많습니다.

하지만 다리를 꼬는 습관은 바르지 못한 자세의 대표적인 예입니다. 한쪽 다리를 꼬면서 몸의 중심이 변하고, 골반이 한쪽으로 틀어지며 척추는 그 반대 방향으로 이동하게 되어 몸의 비대칭을 초래합니다. 또 다리를 가지런히 모으고 앉기 힘들거나, 다리를 벌리는 습관을 예방하기 위해 다리를 꼬는 것이 편하다고 느끼는 분들도 계실 겁니다. 그러나 다리를 자주 꼬는 습관은 척추와 골반 건강에 악영향을 미칠 수 있습니다.

이로 인해 척추가 휘는 기능성 척추측만증이나 골반 비대칭과 같은 체형 질환이 발생할 수 있다는 사실!

결론적으로, 다리 꼬는 자세를 해서는 안 됩니다.

그렇다면 다리를 번갈아 가며 꼬는 것은 괜찮을까요? 천만의 말씀입니다. 한쪽 다리를 꼬았다가 반대쪽으로 꼬는 것은 오히려 역효과를 가져올 수 있어요.

결과적으로 양쪽 골반 모두 틀어지게 되는데, 한쪽 다

리를 꼬면 그쪽 골반에 체중이 쏠리고 반대쪽 골반 근육은 긴장하게 되거든요. 이렇게 되면 다리를 반대쪽으로 꼬았을 때 위아래로 골반 불균형이 생겨 신체의 불균형이 가속화될 수 있어요. 결국 다리 꼬기 악순환은 계속되는 거예요.

뱃살과
허벅지 살 '쏙'~

올바른 앉은 자세를 유지하는 것만으로도
다이어트 효과 플러스,
여기에 한 가지 비법을 추가하면 효과 만점!

바로 책 한 권을 활용하는 방법입니다.
볼륨감 있는 책, 예를 들어 이 '혈관미인 자세미인' 같은 책(^^)을 허벅지 사이에 끼우고, 책이 떨어지지 않도록 자세를 유지해 보세요.

이렇게 책을 끼우면 자연스럽게 배와 허벅지에 힘이 들어가게 됩니다. 이 과정에서 복근과 허벅지를 단련할 수 있어, 짧은 시간 안에 탄탄한 몸매를 만들어 주는 효과가 뛰어납니다. 이때 손으로 의자의 팔걸이를 잡아 넘어지지 않도록 주의하는 것이 중요합니다. 안정적인 자세를 유지하면서 운동 효과를 극대화할 수 있습니다.

어때요, 지금 당장 시작해 보세요!

복부와 허벅지를 이용해
책이 떨어지지 않도록
자세를 유지합니다.

**손으로 팔걸이를 잡아
넘어지지 않도록 주의합니다.**

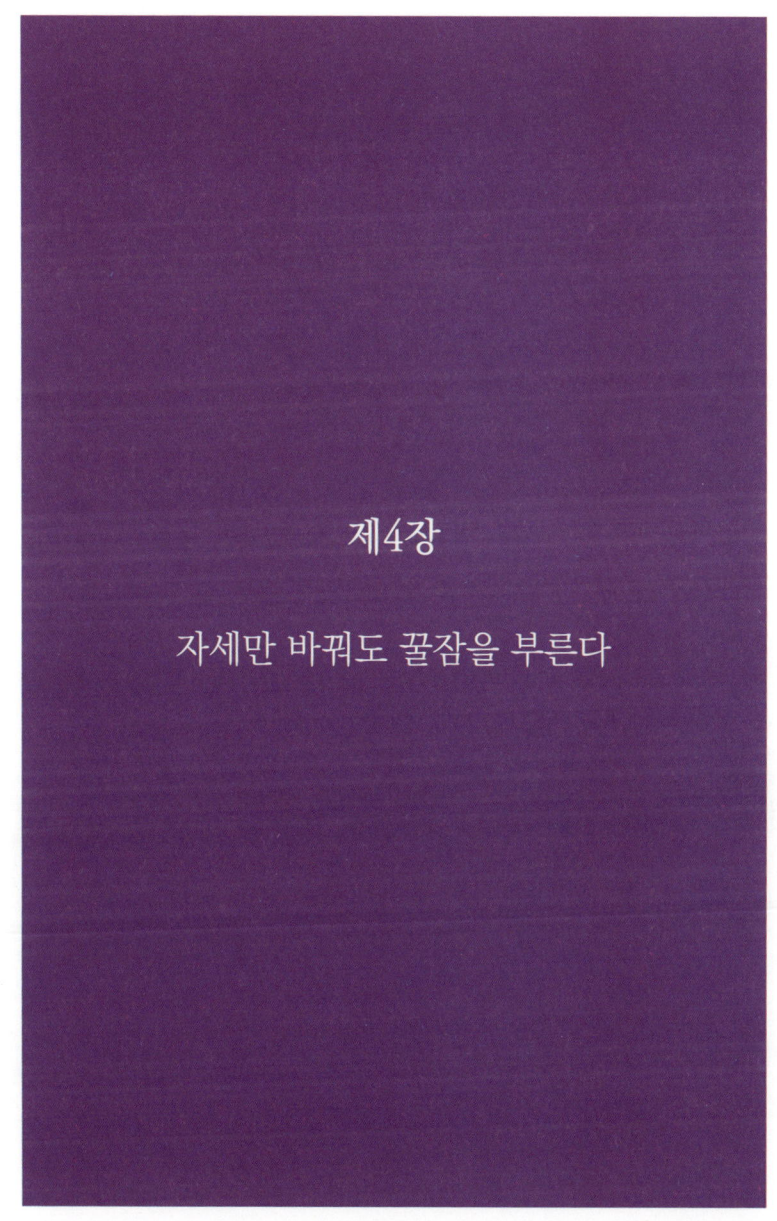

제4장

자세만 바꿔도 꿀잠을 부른다

예나 지금이나, 미인은 잠꾸러기

"거울아! 거울아!
이 세상에서 누가 제일 예쁘니?"

매일 밤 거울을 보며 세상에서 가장 아름다운 사람을 묻던 마녀를 기억하시나요?
그녀는 언제나 "이 세상에서 제일 예쁜 사람은 백설공주입니다." 라는 대답을 듣곤 했죠. 밤마다 잠 못 이루며 뒤척였던 마녀를 떠올리면, 동화 속의 마녀는 불면증 환자였고, 독이 든 사과를 베어 문 백설공주는 분명 미인이었을 거라는 상상을 하게 됩니다. 왜냐하면 '미인은 잠꾸러기'라는 말이 증명을 하잖아요.

여러분, 밤새 잘 주무셨나요?

요즘처럼 바쁜 시대에 이런 인사가 더욱 필요한 것 같아요. 잠을 못 이루는 분들 정말 많이 봅니다.

그렇다면 불면증을 겪는 분들! 어느 상태에서 어느 정도 잠을 못 이루고 계신가요? 불면증은 적절한 환경과 잠잘 수 있는 조건이 갖추어졌으나 2주 이상 잠을 이루지 못할 때 또는 잠들기 힘들거나, 야간에 자주 깨거나, 새벽녘에 일어나 잠을 설치는 등등 여러 가지 어려운 상태로 나타나는데요.

세계보건기구(WHO)는 "수면 부족은 선진국 전체의 유행병"이라고 선언할 정도입니다.

수면 시간이 단축되면 삶의 질이 떨어지는 것은 물론, 면역체계가 무너져 장경수 교수님이 말씀하신 3고병(고혈압, 고혈당, 고지혈)뿐만 아니라 최악의 경우 자율신경 실조 증세까지 초래할 정도로 심각하게 되죠.

대한 수면 연구학회의 발표에 따르면, 수면은 회복, 에

너지 보존, 기억, 면역, 감정 조절 등 여러 중요한 역할을 합니다. 그렇다면 잠이 부족해지면 일상생활에서 어떤 일이 벌어질까요?

피곤하고 졸릴 뿐 아니라, 기억력과 집중력이 감소하고 감정 기복이 심해지며 식욕이 증가해 체중 증가로 이어질 수 있습니다. 실제로 24시간 이상 잠을 자지 않으면 혈중알코올농도 0.1%의 상태와 같다고 하니, 정말 무서운 일이에요. 수면은 또 우울, 불안, 스트레스 등 정신적인 어려움과도 밀접할 수밖에 없는데요.
깊은 수면은 몸과 마음을 회복시키고 일종의 얕은 수면인 렘수면은 일과 중에 쌓인 감정을 처리하는 기능이 있는 만큼 수면이 부족하면 우울증이 생길 수 있습니다. 실제로 불면증 환자의 절반 이상은 우울증과 불안장애를 호소하고 우울증 환자의 3명 중 2명은 불면증을 호소한다고 하니 잠이 몸의 정상과 비정상을 좌우하는 중요한 열쇠, 분명하겠죠? 또한 수면 부족은 심혈관질환과도 관련이 깊은데요. 수면 중에는 깨어 있을 때보다 혈압이 10% 정도 떨어진다고 해요. 그래서 잠을 잘 자지 못하면 지속적으로 교감신경계가 항진돼 심혈관계 위험이 높아집니다.

그럼, 여기서 한 번,
앞서 '혈관미인' 파트에서 NO(산화질소)의 역할을 또 한번 기억해 볼까요?

NO(산화질소),
밤에는 그 역할을 조금 쉰다는 사실!

하루 중 NO(산화질소) 생성이 최저일 때는
잠을 자며 움직임이 적은 밤과 새벽이다.
이 시간에 심근경색과 심장마비 등이 많이 발생하는 이유다.
- 루이스 이그나로 박사와의 인터뷰 중에서 -

이는 밤 동안의 신체 회복 과정과 관련이 있습니다. NO(산화질소)를 발견해 노벨상을 수상한 루이스 이그나로 박사는 NO(산화질소)가 인간이 잠자는 동안 가장 적게 생성된다고 인터뷰했습니다.

이는 우리가 잠을 자는 동안 혈관질환에 즉각적으로 대응하기 어려울 수 있다는 것을 의미합니다. 아울러 루이스 이그나로 박사는 체내에서 생성된 NO(산화질소)가 혈액 순환을 원활하게 하여 산소와 각종 영양소를 신체 각 부위에 활발히 전달함으로써 숙면을 취하는데 도움을 준다고 강조했는데요. 2006년 이후 발표된 여러 국제 학술지(European Journal of Neuroscience, PNAS 등)에서도 NO(산화질소)가 수면의 회복과 깊이에 중요한 역할을 한다는 사실이 확인되었습니다. 그렇다면 우리는 밤과 새벽 동안 어떻게 안심하고 NO(산화질소) 생성을 기대하며 잠을 청해야 할까요? '잠이 보약'이란 것을 알지만 잠을 못 자고 잠이 안 오는 현대인들, 정말 잠 잘 오는 방법, 기필코 찾아야겠습니다. 그런데 잠에도 숙면과 수면이 있다는 사실 아시나요?

'숙면'은 한자로 익을 숙(熟)과 쉴 면(眠)으로, 깊이 잠에 빠진 상태를 의미합니다. 반면, '수면'은 단순히 잘 수(睡)와 쉴 면(眠)으로, 단순히 쉬는 잠을 뜻합니다. 영어로는 수면을 Sleep, 숙면을 Deep Sleep이라고 할 수 있겠죠. 잠은 단순한 수면 시간이 아니라 '잠의 깊이'와도 관련이 있는데요. 깊게 숙면을 취하려면 수면 환경에 영향을 받는다는 것을 분명히 아셔야 해요. 그렇다면, 내가 잘 자고 있는지, 깊은 잠을 자고 있는지부터 알아야겠죠? 병원에 가서 '수면 다원 검사'를 받지 않더라도 좋은 잠을 자는지 쉽게 '슬립 테스트'를 할 수 있어요. IBS-KAIST-삼성서울병원이 개발한 AI 기반 수면 질환 검사 알고리즘 슬립 테스트! 병원 방문 없이 수면 질환 위험도 90% 정확도로 예측 가능, 웹사이트를 통해 간단히 수면 질환 위험도를 파악할 수 있으며 기본 기능은 무료입니다.
AI로 간단히 검사해 보세요!

수면 질환 위험도를 예측할 수 있는 **SLEEPS 웹사이트 링크**

여러분의 수면 건강을 체크하셨나요? 그렇다면 이제 좋은 숙면 환경을 만들 차례입니다. 규칙적인 취침 시간과 기상 시간을 유지하면서 쾌적한 침실 환경에서 '빛을 차단할 것'이 숙면의 핵심! TV나 스마트폰 같은 전자기기는 멀리할 것을 권장! 암막 커튼과 수면 안대는 빛 차단에 효과적인 도구로 추천합니다.

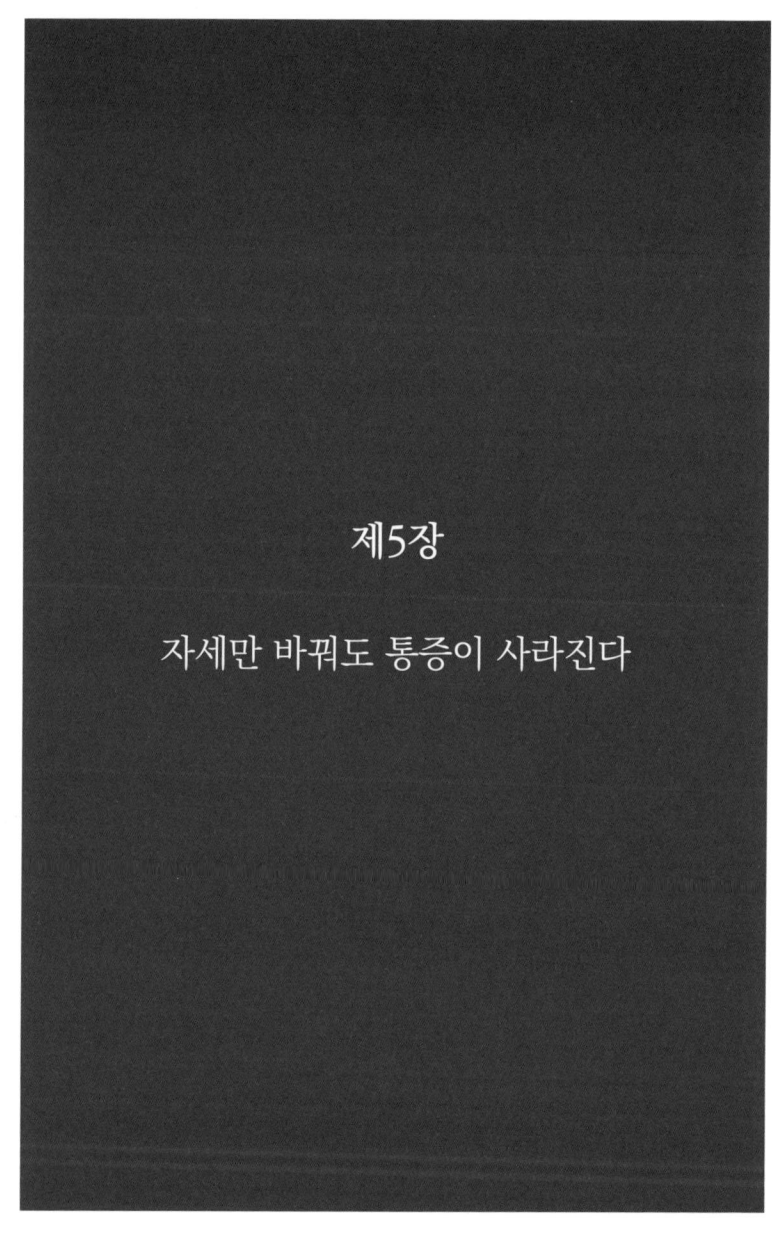

제5장

자세만 바꿔도 통증이 사라진다

아프고서야
알게 되는 소중함,
손

섬섬옥수 곱던 내 손은 어디로 갔는지,
거칠어진 손이 지나온 세월을 증명하고 있습니다.

나이가 들면 여자들은 안 아픈 곳이 없다고 하죠?
언제부터인가 손가락 마디가 유난히 뻣뻣하고 저릿한
통증을 자주 느끼게 되었습니다.
직업상 손을 많이 사용하는 디자이너로서 그저 직업병
이려니 생각했지만, 통증은 갈수록 악화되었고

자고 일어나면 왼손 약지에서 '딱딱' 소리까지 나더군요. 손가락을 굽혔다 펴는 과정이 점점 어려워져 병원을 찾았더니 '방아쇠수지증후군'이라는 진단을 받았습니다. 몇 번의 주사 치료를 받았지만,

그때 뿐-

손가락의 불편함은 작업과 집안일에까지 지장을 주기 시작했습니다. 결국, 수술로 근본적인 치료를 한 후에야 좀 나아지면서 손가락 하나하나가 얼마나 소중한지 느낄 수 있었어요. 일상을 연결해 주는 손, 그리고 그 손의 통증이 일상과 단절시킨다는 것을요. 가볍게 여겨서 큰 병이 되는 손, 온몸의 신경이 모여있는 손! 발이 '제2의 심장'이라면, 손은 '제2의 뇌'라는 말을 아프고 나서야 깨닫게 된 거죠. 손가락과 손목은 우리 몸에서 가장 많이 움직이는 부위인 만큼, 다른 신체 부위보다 많은 피로가 누적되어 있었다는 것을 평상시에는 잘 모르고 삽니다. 피로가 누적되면 어떻게 되겠어요? 통증과 문제를 불러오게 되겠지요? 따라서 주기적

으로 적절한 스트레칭을 통해 소중한 손을 아껴주어야 한다는 것을 실천해야 합니다.

자! 틈날 때마다 잊지 말고
〈손과 손가락 건강 체조〉 Right now!

손가락 스트레칭

손바닥을 책상 위에 올려 놓기

반대쪽 손으로 아픈 손가락을 잡고
천천히 올려 5초 머무르기

5회 반복 후
반대쪽으로 한번 구부리기

엄지손가락 스트레칭

손을 움켜쥐고
엄지손가락을 위로 향하기

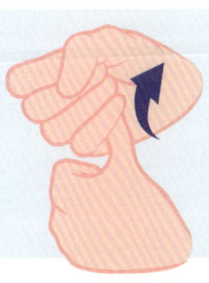
반대쪽 손으로 엄지손가락을
잡고 올려 5초 머무르기

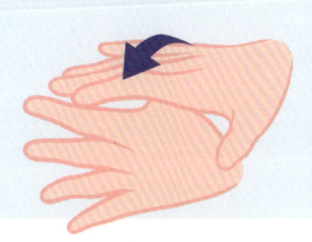
5회 반복 후
반대쪽으로 한번 구부리기

손주! 기쁨도 주고, 병도 주고?

"부탁해요, 엄마."

다 키운 자식에 대한 사후관리(A/S)일까요?
자식들을 다 키운 뒤 이제는 손주를 돌보는 할머니, 할아버지들이 주변에 정말 많이 있습니다.
육아휴직이 어렵거나 경제적 여건상 육아가 힘든 현실 속에서, 자식들을 위해 다시 육아 전선에 뛰어들 수밖에 없는 조부모의 마음은 말하지 않아도 이심전심으로 전해집니다.

물론, 손주와 함께 보내는 시간은 노년기에 큰 기쁨이자 무엇과도 바꿀 수 없는 축복이죠. 할머니 할아버지의 아낌없는 사랑은 손주의 자아 형성에도 크게 도움이 될 것입니다. 하지만 문제가 있습니다. 바로 노년기에 접어든 조부모에게 육아 활동이 강도 높은 육체적 노동을 요구한다는 점입니다. 오죽하면 옛날부터 "밭 맬래? 손주 볼래?" 했을 때, '밭을 맨다!'라고 대답했겠어요? 나이가 들면서 체력적으로 부담이 커지는데, 기본적인 청소, 빨래 등 집안일을 하면서 잠시도 가만히 있지 않는 손주와 함께 놀아주고, 식사까지 챙기는 일은 정말로 골병이 들 수 있습니다.

그래서 '손주 병'이라는 신조어가 생겨났겠죠? '손주병'은 손목, 어깨, 허리, 무릎 등 퇴행성 질환과 밀접한 관련이 있습니다. 노화로 인해 관절이나 디스크가 이미 쇠약해진 상태에서 하루 9시간 이상의 집안일과 육아 관련 중노동을 하게 되면 노화가 더욱 촉진

되고, 때로는 심각한 손상을 입기 쉽습니다. 특히 손주 돌봄은 아이가 어릴수록 손이 많이 가는데요, 기저귀를 갈고, 아이를 따라다니며 밥과 간식을 챙기는 일을 매일 반복해야 할 때 무리가 갈 수 있어요. 울며 보챌 때는 10㎏가 넘는 아이를 안거나 업으면서 달래야 하고, 쉴 틈 없이 움직이다 보니 손목, 허리, 무릎 관절에 큰 부담이 될 수밖에 없습니다.

제일 좋은 치료는 휴식이라고 하지만, 손주를 돌보면서 과연 쉴 틈이 얼마나 있을까요? 그래서 아이를 안아줄 때만이라도 바른 자세를 각별히 신경 쓰시기를 권해드립니다. 아무리 사랑하는 손주라도 제발 덥석 안아 올리지 마세요! 아기를 안아 올릴 때 사칫 잘못하면 손목을 과도하게 꺾거나 비틀어 사용하는 경우가 있을 수 있어요. 예를 들어, 아기를 한 손으로 안아 올릴 때 손목이 아래로 꺾이게 되면, 손목에 불필요한 압력이 가해져 통증이나 부상의 위험이 높아집니다. 이런 자세는 손목의 힘줄이나 인대에 부담을 주어 장기적으로 손목 통증이나 염증을 유발할 수 있습니다. 또한, 아기를 안을 때 팔을 너무 뻗거나, 몸의 중심에서 멀리 두게 되면 손목뿐만 아니라 어깨와 팔에도 부담이 가해지는데요, 이로 인해 균형을 잃기 쉬우며, 아기를 안정적으로 지탱하기 어려워집니다.

이는 아기와 안는 사람
모두에게 스트레스를 줄 수 있겠죠?

그렇다면, 자세 미인 할머니는 어떻게 하냐고요?

아기를 안을 때의 좋은 자세 TIP!

① 아기를 안기 전에 먼저 무릎을 살짝 굽히고,
몸을 앞으로 기울이지 않도록 합니다.
(무거운 물건 들 때 P.234 참고)

② 손목에 가해지는 압력을 최소화하고,
아기를 안정적으로 지탱하기 위해
두 팔로 안정적으로 감싸며, 손목을 꺾지 않고,
팔꿈치를 약간 굽혀서 아기를 몸 가까이 안아줍니다.

아기를 안을 때에도
자세 미인 할머니!

우리 집 엔돌핀,
'이태리'와 으쌰! 으쌰!!

우리 집 보물 1호를 소개합니다!

나이는 3살, 이름은 이태리.
특기는 점프하며 공 받기
다들 눈치채셨죠?
우리 집의 사랑스러운 반려견, '이태리'입니다.
입양해 온 믹스견, 이태리 명문가에서 태어난 귀공녀처럼 사뿐사뿐 자라거라 뜻을 담아 이름이 '이태리'.
그런데 깨발랄함으로 얼마나 에너지가 넘치는지, 이태리 축구선수 저리 가라입니다.

이러다 보니 집안에서도 이태리와의 놀이는 경주처럼 이어지고, 이태리를 따라 사람도 저절로 운동하게 되는 일이 많아졌습니다. 이렇게 반려견과 함께하다 보면 정서적 교감뿐만 아니라 라이프스타일 역시 활동적으로 변하게 되는데요. 우리 집뿐만 아니라, 반려견과 함께하는 가정의 분위기 역시 함께 하는 반려견만큼이나 활기차게 달라집니다. 반려견과 함께하는 일과 중 빼놓을 수 없는 것이 바로 산책입니다! 혼자 하는 산책에 비해 반려견과 함께하는 산책은 조금 더 활동적이라고 할 수 있겠는데요. 반려견과 소통을 하면서 반려견과의 유대감을 높일 수 있다는 의미에서 참 행복한 시간입니다. 그런데 산책시킬 때 자세는 사람의 몸뿐만 아니라 반려견과의 소통과 안전에 큰 영향을 미친다는 사실, 잘 아시죠? 매일 반려견과 함께하는 산책이 주요 일상인 견주와 반려견 모두 바른 자세로 산책하며 자세 미인이 되는 법을 알아보겠습니다.

반려견과 산책할 때의 좋은 자세 TIP!

① 반려견과의 거리를 적절히 유지해요.

반려견이 자유롭게 움직일 수 있지만, 리드줄이 너무 느슨하지 않게! 적절한 거리는 반려견이 주변을 탐색할 수 있는 공간과 안전을 제공하면서도, 안전을 보장하겠죠?

② 리드줄을 부드럽게 잡아요.

힘을 주지 않고 자연스럽게 손에 감싸도록 하여, 어깨에 부담이 가지 않도록 해요. 이렇게 하면 긴장감을 줄이고 편안한 자세를 유지할 수 있어요.

③ 팔은 몸 옆에 자연스럽게 두어 긴장을 풀어요.

팔을 너무 위로 올리거나 움츠리지 않도록 주의하며, 팔꿈치를 약간 굽혀 리드줄에 여유를 두는 것이 좋아요. 이렇게 하면 어깨와 팔의 힘이 고르게 분산되어 피로를 줄일 수 있을 거예요.

④ 반려견과의 소통도 중요해요.

여유 있고 균형 있는 자세로 반려견과 소통해야, 반려견이 보내는 신호나 행동을 제대로 이해할 수 있겠죠? 반려견과 유연하게 소통하고 대응할 수 있어 안전한 산책이 가능하더라고요.

반려견도 견주도
자세 미인!

Postface From Special Guest

살면서 속옷에 어느 정도 관심이 있었나? 대답하기가 부끄럽다. 겉옷 안에 챙겨 입는 옷 정도로만 생각해 왔는데, 요즘은 예전에 비해 확실히 여성들이 편해지긴 했다. 속옷이 여성의 몸매와 아름다움만을 위해 존재하는 게 아니라 내 몸과 밀착되어 활동이 자유롭고 편하며 건강을 생각하는 흐름으로 나아가는 듯하다. 아주 바람직한 방향이다. 그런데 사실 수십 년 전부터 속옷을 통해 여성의 건강을 지켜주려는 노력을 해온 브랜드가 우리나라에 존재한다. 속옷 선택에 따라 우리 몸과 체형도 달라진다고 자신 있게 말하는, 대한민국 최초의 기능성 보정 속옷 디자이너 박명복 선생님의 브랜드 'ettim'이다. 시간은 흐르고 누구나 늙는다. 하지만 평소 잘 씻고 잘 바르고, 이런 기초적 관리를 성실히 해온 사람의 얼굴은 시간이 갈수록 그 다름이 돋보인다. 하지만 몸은 꼼짝없이 나이를 마주한다고 생각했다. 화장으로도 가려지지 않는 세월의 흔적들이 나이가 들수록 더 실감 난다. 그러던 중에 '속옷은 내 몸에 하는 기초 화장품'이라 말하는 이 책의 구절을 보며 어리둥절했다. 그 정도일까? 그럼 난 몸의 기초 화장품엔 너무 소홀했던 것 아닐까. 세월이 쌓여가는 여성들이 많이 공감할 통증 중엔 목 디스크와 허리통증 등이 있을 것이다. 높은 굽의 구두, 다리 꼬기 등 몸에 밴 생활 습관들로 통증이 찾아와도 참으며 보냈더니 기어이 말썽이 났다. 요즘 내가 생각하는 몸의 가장 중요한 부위는 골반이다. 단순히 허리가 약한 줄 알았는데 알고 보니 몸통 전체가 다 연결되어 단순히 어느 한 부분만 고치면 될 일이 아니었다.

바로 그런 우리나라 여성의 몸을 위해 속옷에 기능성을 부여해 신체를 지켜주고자 '허리와 엉덩이를 분리해 움직임이 편안하도록 설계하고, 골반 중심으로 디자인한' 입체 패턴의 바디슈트를 이미 수십 년 전부터 제작해 온 것이다. 이 기업이 수십 년 동안 견고히 건재해 온 걸 보면 여성의 몸과 건강에 대해 얼마나 물오른 지식과 관심을 갖고 있을지는 의심할 여지가 없다. 책 속엔 내가 몰랐지만, 알고 나면 삶이 개운해지는 정보들이 보석처럼 쏙쏙 박혀있다. 한국 여성의 체형을 분류해 놓아서 나는 어떤 체형일지 찾아보다 뜨끔했다. 그 체형에 대해 써 놓은 글귀가 딱 와닿아서 나를 속속들이 들여다보는 것만 같다. 발, 걸음걸이뿐 아니라 가볍게 여겨서 큰 병이 되는 손, 손목 같은 부위에 얼마나 많은 피로가 누적되어 있는지도 새삼 인식하며 잘 지켜가기 위해 소개된 소소한 운동법 또한 따라 해보게 된다. 간단하고 쉽고 흥미로워서 읽다가 페이지를 사진 찍어 엄마에게 보내드리기도 했다. 딸과 엄마가 함께 보면 좋겠다 싶다. 몸에 유익한 것은 실은 단순하다. 그렇기에 다가가기 쉽고 내 것으로 만들기도 그리 다사다난하지 않다. 단지 습관이 가진 무서운 힘이 우리를 계속 '가속 노화'시키고 있음을 자각하기를. 그때부터 다시 시작이다. 이 친절한 안내서에 내 몸을 맡기며 남은 인생을 활동적이며 생기 있게 보내면서 '저속노화'의 트랙으로 옮겨 타 건강하고 신나게 발을 내디며 나가면 어떨까.

방송인 | 김 경 란

박명복 디자이너 추천
NO(산화질소) 펌프운동
(Nitric Oxide Dump)

하루 4분, 4가지 동작
땀은 조금, 효과는 확실!

4분 덤프 운동이란?

NO(산화질소) 생성을 촉진하기 위해
미국의 내과 의학, 내분비 및 대사 의학 분야의 전문가
잭 부시Zach Bush 의학 박사가 개발한 4분 운동.
짧은 시간 동안 신체의 16개 주요 근육을 운동시켜
전신의 NO(산화질소) 레벨을 높이고,
이로써 혈액 순환을 촉진하는 4가지 동작으로 구성.
장소의 구애 없이 자세와 속도에 초점을 두고,
호흡은 입이 아닌 코를 통해서 해야 하는 것이 특징.

4분 덤프 운동 방법&효과

하루 1~2회 꾸준히 반복하면
혈관과 자세도 좋아지면서 건강해질 거예요.
1~4번의 4가지 동작을 3차례 반복합니다.
3세트 하는 데 4분이 채 걸리지 않지만,
고강도 인터벌 운동인 만큼 실제 해보면 숨이 꽤 가빠질 거예요.
자신의 상태에 따라 속도와 횟수를 조절할 수 있습니다.
운동 강도를 높이려면 각 동작의 횟수나 세트 수를 늘립니다.
운동 뒤 우리 몸에서 산화질소를 만들기까지 2~3시간 걸리므로
약 3시간 간격으로 하루에 서너 번 정도 실시합니다.

주의사항

무리하지 않고 자신의 체력에 맞게 시작.
관절 통증이 있다면 동작 강도를 줄이기.

스쿼트

Squat

1 양발은 어깨보다 살짝 넓게 무릎이 안쪽으로 회전하지 않도록 양발을 살짝 벌려 바르게 서줍니다.

2 두팔을 앞으로 뻗으며 무릎을 굽혀줍니다. 이때 허리가 굽혀지지 않도록 주의합니다.

박명복 디자이너 추천
NO(산화질소) 덤프운동

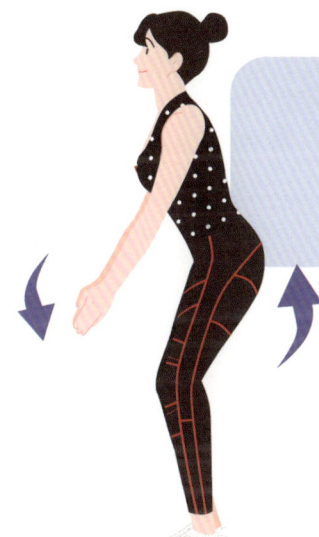

3 양손을 아래로 힘차게 흔들며 일어나줍니다.
마찬가지로 허리를 바르게 세워줍니다.

4 처음 준비 동작으로 돌아가며 해당 동작을 1회 기준으로 10회 반복합니다.

팔 번갈아 들어올리기

Alternating Arm Raises

1 오른손과 왼손을 교차시켜 번갈아 들어올려줍니다.

박명복 디자이너 추천
NO(산화질소) 덤프운동

2 이때 내려오는 손은 허벅지 앞에서 멈추도록 합니다.

3 다시 반대편 손을 빠르게 들어올려줍니다. 해당 동작을 1회 기준으로 10회 반복합니다.

뛰지않고 팔 벌려 뛰기

 차렷 자세에서 양팔을 벌려 위로 올려줍니다.

 두 팔을 양옆으로 벌려 크게 원 그리기를 합니다.

박명복 디자이너 추천
NO(산화질소) 덤프운동

3 팔 벌려 뛰기 동작을 뛰지 않고 한다고 생각합니다. 주먹을 쥐고 빠른 속도로 반복합니다.

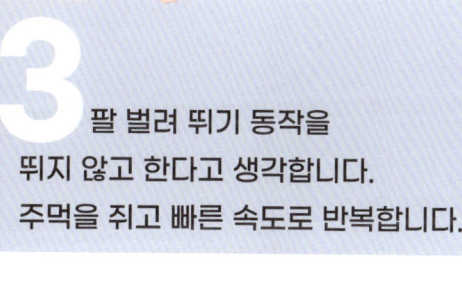

4 해당 동작를 1회 기준으로 10회 반복합니다.

*운동 강도를 증가시키려면 다리를 들어 올리는 동작을 통해 하체 근력을 강화합니다.

숄더 프레스

1 차렷 자세에서 주먹을 쥐고 양팔을 머리 옆으로 올려줍니다.

2 어깨를 위로 밀며 팔을 뻗어줍니다.

박명복 디자이너 추천
NO(산화질소) 덤프운동

3 뻗은 팔을 시작한 위치로 내립니다. 해당 동작을 1회 기준으로 10회 반복합니다.

스쿼트 10회
팔 번갈아 들어올리기 10회
뛰지 않고 팔 벌려 뛰기 10회
숄더 프레스 10회
= **1세트**

3~4세트 진행한다.
본인의 체력에 맞는 강도 조절 필수!

혈관미인 자세미인

초판발행 | 2025년 6월 16일

지은이 | 장경수, 박명복
펴낸곳 | THE바른체형연구소
출판등록 | 2020년 5월 21일, 제 2020-000057호
주소 | 서울시 강서구 공항대로 58길 10 5층
전화번호 | 02 2088 4773
copyright ⓒ THE바른체형연구소

· 이 책은 저작권법에 따라 보호받는 저작물이므로 책의 내용을 무단으로 인용하거나 발췌를 금지하며,
  이 책의 내용 중 전부 또는 일부를 이용하려면 도서출판 THE바른체형연구소의 서면동의를 받아야 합니다.
· 잘못된 책은 서점에서 바꾸어 드립니다.